LLYGAD AM LYGAD

Eigra Lewis Roberts

GOMER

Argraffiad Cyntaf—1990

ISBN 0 86383 689 5

(h)Eigra Lewis Roberts, 1990 ©

Dymuna'r cyhoeddwyr gydnabod cymorth a chyfarwyddyd Adrannau'r Cyngor Llyfrau
Cymraeg a noddir gan Gyngor Celfyddydau Cymru.

Argraffwyd gan
J. D. Lewis a'i Feibion Cyf., Gwasg Gomer, Llandysul, Dyfed

I
NEL

CYNNWYS

RHAGAIR

Er mai hanesion ffeithiol a geir yma, mae'r pwyslais ar y pam yn hytrach na'r sut. Wrth imi ymchwilio i hanes yr wyth, yr hyn a ddeuai i'r amlwg dro ar ôl tro oedd tlodi affwysol pob un ohonyn nhw. Mae'n wir i'r mwyafrif gyflawni gweithredoedd digon erchyll ond yr oedd ynddyn nhw, hefyd, ddiniweid-rwydd a naïfrwydd sy'n ennyn cydymdeimlad, yn arbennig yr eneth fach o Lŷn.

Fe'u cosbwyd i gyd, yn ôl trefn y Gyfraith. Cewch chwi benderfynu a oedd y 'llygad am lygad' yn gyfiawn ai peidio.

Hoffwn ddiolch yn arbennig i:
Gwydion, y mab, am dynnu mwyafrif y darluniau;
Y Llyfrgell Genedlaethol ac Archifdai Llangefni, Caernarfon a Chlwyd am ganiatâd i ddefnyddio rhai darluniau; Huw Edwards, Brithdir; Gwilym Hughes, Dolgellau; Eryl Wyn Rowlands, Llangefni; Ronald Hughes, Gaerwen, a Rheolwr Gwesty'r Foelas, Pentrefoelas, am ganiatâd i wneud copïau o hen ddarluniau;
Mr Rees, Rheolwr Parkhurst am ganiatâd i ddefnyddio dogfennau'r carchar;
Staff y Llyfrgell Genedlaethol;
Tegwyn Jones, y Llyfrgell Genedlaethol;
Einion Wyn Thomas, Archifdy Llangefni;
Robyn Lewis (Robyn Llŷn), Nefyn;
T. Dryhurst Roberts, Llangefni;

Gan obeithio'n fawr nad ydw i wedi hepgor enw neb, hoffwn ddiolch, hefyd, i'r rhai canlynol am eu parodrwydd i helpu:
Archifdy Dolgellau; Mary a Wil Edwards, Rowen; Clwyd a Siân Evans, Pentrefoelas; Emyr a Gwenda Evans, Pentrefoelas; Ioan Mai Evans, Llithfaen; Aldwyth Hughes, Tal-y-bont; Elwyn Hughes, Porthaethwy; Glyn Hughes, Pentrefoelas; Maureen Hughes, Ysgol Rowen; Mr a Mrs Spencer Hughes, Llanfaethlu; W. A. Hughes, Llanbedr, Conwy; William Hughes, Talwrn; Geraint Jones, Trefor; Dr. Glyn Jones, Brynsiencyn; Mary Jones, Trefor; Sarah Gwyneth Jones, Caernarfon; J. R. Jones, Aberystwyth; y Parchedig William Lloyd Jones, Abersoch; Donald Glyn Pritchard, Ysgol Pensarn; y Parchedig Dilwyn C. Roberts, Caerhun; Edwin Roberts, Llanfaethlu; Basil Sayle, Dolgellau; y Parchedig a Mrs Idris Thomas, Trefor. I Wasg Gomer am eu cydweithrediad.

Eigra Lewis Roberts

O JERICHO I NIWBWRCH
William Griffith
1830

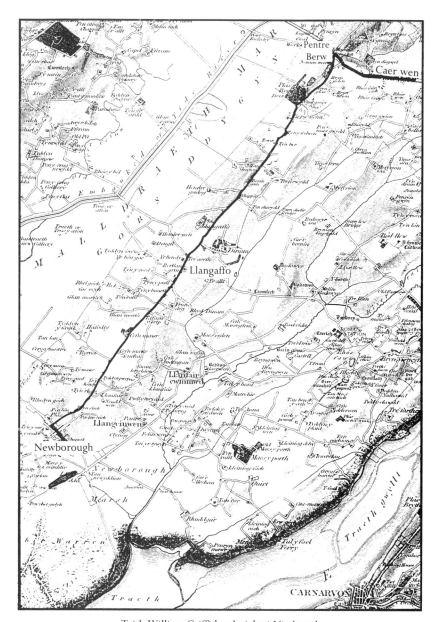

Taith William Griffith o Jericho i Niwbwrch

Er bod y ffordd o Jericho i Niwbwrch ym Môn yn gul a charegog a thywyll, go brin y gellid ei chymharu â'r ffordd o Jericho i Jeriwsalem, a anfarwolwyd yn stori'r Samariad Trugarog, a'i deunaw milltir caled yn dringo drwy dir anial, peryglus. Ond nos Wener, yr ail o Ebrill, 1830, yr oedd bwriadau'r gŵr a adawodd Jericho a throi i lawr Lôn Dwll am Niwbwrch yn fwy erchyll hyd yn oed na rhai'r lladron a lechai yn yr ogofâu o boptu'r ffordd honno.

Ni roddwyd yr un enw i'r gŵr a syrthiodd ymysg y lladron, ond yr oedd i hwn ddau gyfenw. Yr un oedd y William Griffith a briododd Mary Rowlands yn Niwbwrch yn 1807 â'r William Morris a briododd Ellen Rowlands yn eglwys Llanwnda, yn Ebrill, 1829.

Jericho, Gaerwen

13

Lôn Dwll, Pentre Berw

Nid fod ganddo fawr i'w ddweud wrth y naill na'r llall. 'Roedd wyth mis er pan welsai'r Ellen yna, ac ni fyddai wedi gwneud dim â hi oni bai am y plentyn a bygythiadau'r hen ddyn ei thad. Ac wedi'r cyfan, nid oedd ganddi hi unrhyw wrthwynebiad i'w briodi, er ei bod yn gwybod fod ganddo wraig.

Am y llall, fe fyddai'n dda ganddo pe na bai erioed wedi taro llygad arni. On'd oedd hi wedi dweud, fwy nag unwaith, y byddai'n well ganddi agor ei thŷ i nythaid o nadroedd nag iddo fo? Ac yntau wedi derbyn ei phlentyn siawns hi, wedi dioddef ei hen dafod budur am ddeunaw mlynedd, ac wedi gwneud popeth a allai i'w helpu pan oedd hi'n sâl.

'Roedd hi'n tynnu am chwe blynedd bellach er pan godod o'i bac. Yr unig dro y bu'n ôl, wedi hynny, 'roedd hi wedi rhegi a rhwygo a'i alw'n bob enw dan haul. A phan gyfarfu â hi ar y lôn ryw dair blynedd ynghynt 'roedd ganddi'r wyneb i ddweud, a hynny yng nghlyw pobol, ei fod o wedi'i churo hi.

'Doedd wybod faint rhagor o straeon yr oedd yr hen hwran gelwyddog wedi bod yn eu taenu o gwmpas y lle. On'd oedd Lisa Jones, Niwbwrch, wedi troi arno ar lôn Llangefni a'i gyhuddo o gam-drin Mary a Grace, y ferch, a cheisio'u lladd? Cyw o frid oedd y Grace 'na hefyd, yn garreg ateb i'w mam ar bob dim. Be' wyddai Lisa Jones, mwy na neb arall, faint yr oedd o wedi gorfod ei ddioddef? Ac unwaith yr âi'r si ar led fod ganddo wraig a phlentyn yn Llanddeiniolen byddai'r Mary 'na'n brysurach nag erioed, yn hau rhagor o gelwyddau amdano. Ni roddai dim fwy o bleser iddi na'i weld yn cael ei gosbi. Ond fe wnâi'n siŵr na châi hi'r cyfle i hynny.

'Roedd hi'n bygwth tywydd mawr ers oriau a'r awyr yn llwythog o eira. Fel yr oedd o'n gadael Jericho 'roedd y gwynt yn codi, ac erbyn iddo gyrraedd Llangaffo fe'i daliwyd gan storm o eira, fel mai prin y gallai weld o'i flaen. Ond 'roedd yn ddigon cyfarwydd â'r ffordd i allu ei cherdded â'i lygaid ar gau. Er nad oedd y smog lliain brown wedi'i fwriadu ar gyfer tywydd garw, nid oedd William Griffith yn ymwybodol o'r oerni nac o anghysur ei ddillad gwlybion. Wrth iddo gyrraedd Niwbwrch y noson honno yr oedd ei holl fryd ar gyflawni'r dasg a ddaethai ag ef yn ôl yno, i ddial cam deunaw mlynedd.

Yn Llys y Sesiwn Fawr yng Nghaernarfon ar 26 Awst, 1830, cyhuddwyd William Griffith, alias William Morris, o gydbriodi ag Ellen Rowlands tra oedd ei wraig, Mary, yn dal yn fyw, a'i ddedfrydu i gael ei drawsgludo am saith mlynedd.

Yn Llys y Sesiwn Fawr, Môn a gynhaliwyd yn y Shire Hall, Biwmares ar yr ail o Fedi, 1830, cyhuddwyd yr un William Griffith, *alias* William Morris, o dan ddeddf yr Arglwydd Lansdowne, o ymosod ar ei wraig gyfreithlon, Mary Griffith, gyda'r bwriad o'i lladd, ar yr ail o Ebrill, noson y storm eira.

15

Niwbwrch, Môn

Eistedd wrth y tân yn ei chartref yng nghwrt y Warws yn plethu matiau moresg yr oedd Mary Griffith, meddai hi, a'r drws yn agored oherwydd y mwg, pan gerddodd ei gŵr i mewn. 'Roedd hi wedi troi ato a'i gyfarch yn siriol, 'Wel, Wil bach, sut wyt ti? 'Dydw i ddim wedi dy weld ti ers hydoedd'.

Ni allai ei weld yn glir oherwydd yr het ddu a gysgodai ei wyneb, ond sylwodd, wrth iddo gamu'n nes, fod golwg wyllt arno, a'i lygaid yn llosgi fel dau golsyn. Cyn iddi allu dweud gair ymhellach, 'roedd ei fysedd yn ei cheg a'i ewinedd yn rhwygo'r cnawd wrth fôn ei dannedd. Ceisiodd ei hysgwyd ei hun o'i afael, ond taflwyd hi oddi ar y gadair i'r llawr. Teimlodd rywbeth caled, cnotiog yn cael ei wthio i'w cheg ac yn gwasgu'n erbyn ei boch dde. Llwyddodd i'w dynnu allan, a chael mai'r ffon a ddefnyddiai William i ddal tyrchod oedd hi. 'Roedd rhai o'i dannedd blaen wedi dod yn rhydd ac wedi mynd yn sownd yn ei llwnc, a bu ond y dim iddi â thagu arnynt. Ceisiodd godi, ond 'roedd o'n eistedd ar ei brest a'i goesau o boptu iddi, yn carcharu'i breichiau. Y peth olaf a gofiai oedd teimlo'i ddwylo'n cau'n ffyrnig am ei gwddw a'i fysedd yn gwasgu'r bywyd allan ohoni.

'Roedd hi rhwng naw a deg ar Grace yn cyrraedd adref y noson honno. 'Roedd pobman yn dywyll, ac wrth iddi roi ei llaw allan i deimlo'i ffordd cyffyrddodd â braich dyn. Meddyliodd i ddechrau, wrth glywed yr anadlu trwm, mai ei brawd oedd yn ceisio'i dychryn. Galwodd arno i roi heibio'i lol, ond pan na ddaeth ateb, fe'i trawodd yn sydyn efallai mai ei thad oedd yno ac aeth cryndod drosti. Yn oer gan arswyd, camodd yn ôl am y drws. Unrhyw eiliad, meddyliodd, byddai'r bysedd, a adawodd eu hôl arni sawl tro, yn cau

16

amdani, a hithau wedi ei dal fel pryfyn mewn gwe. Er mawr ryddhad iddi, 'roedd y drws yn gilagored a llwyddodd i wthio heibio. Unwaith yr oedd hi allan yn yr iard, rhedodd nerth ei thraed i alw am Mary Williams a Margaret Jones, dwy o'u cymdogion.

Mary Williams oedd y gyntaf i fentro i'r tŷ. Nid oedd ganddi hi, meddai, ofn na dyn na diafol. Ond rhoddodd yr hyn a welodd yng ngolau'r lantern gannwyll gryn ysgytwad iddi hithau. Dyna lle'r oedd Mary Griffith druan yn gorwedd, ei phen yn nhwll y lludw, a'r tân yn rhuddo'i hwyneb. Er bod gan Mary Williams fôn braich go dda, cafodd drafferth i'w llusgo allan, gan fod ei phen yn sownd o dan y grât.

Wedi iddi lwyddo i'w chael yn rhydd, sylwodd fod ei hwyneb a'i brest wedi'u gorchuddio â lludw gwynias a bod yr hances, a oedd wedi'i lapio am ei gwddw, yn llosgi. Galwodd ar Margiad, i beri iddi nôl dŵr, ond 'roedd honno'n ei gwaith yn ceisio tawelu Grace. 'Doedd yna fawr o siâp ar yr eneth ar y gorau. Ond be' oedd i'w ddisgwyl, ran'ny, a hithau wedi cael ei churo nes ei bod hi'n llonydd er pan oedd hi'n ddim o beth. Fe fyddai gan y William Griffith yna dipyn o waith ateb drosto'i hun pan ddeuai o flaen ei Farnwr.

'Roedd y Margiad yma'n fodiau i gyd, hefyd, meddyliodd, wrth ei gwylio'n taflu'r dŵr dros Mary, a hwnnw'n tasgu i bob cyfeiriad. A 'doedd dim gofyn iddi golli rheolaeth arni ei hun fel'na pan agorodd Mary ei llygaid a gweiddi 'Paid, paid'. Lle i ddiolch oedd ganddyn nhw fod y gryduras yn fyw, o leia'. Lwcus ei bod hi yma, neu 'doedd wybod be' fyddai wedi dod ohoni.

Penlinio wrth ochr Mary yr oedd hi pan welodd y ffon. Ffon tyrchwr . . . ei ffon o, a gwaed ei wraig yn dal arni. 'Roedd hi wedi amau. Pwy arall a allai wneud peth mor ffiaidd i wraig ddiamddiffyn? Ond 'roedd o wedi'i gwneud hi'r tro yma. Byddai gofyn i William Griffith ateb am ei weithredoedd sbel cyn mynd o flaen ei Farnwr.

Yn Llys y Sesiwn Fawr ym Miwmares, tystiodd William Jones, Jericho, Gaerwen wrth weld y ffon, ei bod yr un ffunud â'r un a gariai William Griffith pan adawodd ei dŷ y noson honno. 'Roedd o wedi loetran yn y lôn am sbel, yn ceisio penderfynu pa un ai am Langefni, ynteu am Gaernarfon, yr oedd o am gychwyn. 'Doedd yntau fawr feddwl, wrth ei gynghori i chwilio am gysgod cyn i'r gwynt godi, fod y penderfyniad eisoes wedi'i wneud.

Pan aeth William Evans, Niwbwrch, cwnstabl y plwyf, i'w ddanfon o Gaernarfon, 17 Ebrill, i ymddangos o flaen yr Ustus ym Môn, 'roedd William Griffith wedi mynnu mai yn Llangefni y treuliodd y noson honno a bod ganddo dystion i brofi hynny. Ac er bod William Evans wedi ei gynghori i beidio â chrybwyll y peth os nad oedd yn berffaith siŵr y byddai'r tystion yn sefyll wrtho, gan y byddai'n waeth arno petai'n cael ei ddal yn dweud

17

celwydd, 'roedd o'n benderfynol o lynu at ei stori. A chael ei ddal yn ei gelwydd wnaeth o, pan dystiodd John a Margaret Owen, Llangefni ei bod yn tynnu am hanner nos, a hwythau yn y gwely ac wedi cysgu oriau, pan ddaeth y tyrchwr i'r drws i ofyn am lety.

Cawsai William Evans ei ddewis yn gwnstabl plwyf gan y trethdalwyr, yn ôl arfer y cyfnod. Dyna fu'r drefn hyd at 1856, pan fu'n rhaid i bob awdurdod sirol sefydlu ei heddlu ei hun. Nid oedd gwaith y cwnstabl yn un i'w chwennych. Byddai gofyn iddo gasglu trethi a dirwyon, cael gwared â chrwydriaid, chwipio, a restio drwgweithredwyr.

Er iddo yntau gael sawl profiad annymunol iawn, nid anghofiai William Evans fyth mo'r olwg a gawsai ar Mary Griffith pan alwyd ef i'r tŷ noson y storm eira. Bu'n trin y llosgiadau ag olew had llin, melynwy, siwgwr brown a dŵr oer am rai dyddiau, er ei fod yn credu, ar y pryd, ei fod yn ymdrechu'n ofer a bod Mary wedi darfod amdani. 'Roedd Mr Haslam, y meddyg o Gaernarfon, a fu'n gweini arni am dri mis, wedi mynegi'r un ofn, fwy nag unwaith. Yn ogystal â'r llosgiadau ar ei hwyneb a'i gwddw a'i bronnau, 'roedd y cnawd wrth fôn ei dannedd a'i llwnc wedi'i rwygo a'r dannedd blaen a'r cil-ddannedd wedi'u malu'n yfflon. Ond 'roedd blynyddoedd o fyw efo William Griffith wedi cryfhau ysbryd Mary, yn hytrach na'i dorri, ac er mawr syndod iddyn nhw i gyd, 'roedd hi wedi mynnu dal ei gafael. A dyma hi rŵan, yn dweud ar goedd ei bod hi'n maddau i'w gŵr ac yn pledio trugaredd iddo.

Geiriau clên Mary Griffith, yn anad dim, a barodd i'r rheithgor gytuno'n unfryd, a hynny mewn pum munud, eu bod yn cael William Griffith yn euog. A'i geiriau hi oedd flaenaf ym meddwl y Barnwr, yr Anrhydeddus Jonathan Raine, wrth iddo'i chanmol am ei hysbryd maddeugar a'i phle ar iddynt arbed bywyd yr un a geisiodd ddwyn ei bywyd hi oddi arni. Drwy drugaredd, meddai, yr oedd y carcharor wedi methu cyflawni'i fwriad ysgeler ac fe arbedwyd ei wraig.

'Roedd hi wedi cael y llaw uchaf arno eto, meddyliodd William; wedi llwyddo i daflu llwch i lygaid pawb. Os oedd o'n deall yn iawn, dweud yr oedd y dyn yma mai ei ddyletswydd o oedd ei hamddiffyn a gofalu amdani. Sut y gallai feddwl y fath beth ac yntau'n gwybod iddi ddweud y byddai'n well ganddi agor ei thŷ i nythaid o nadroedd nag iddo fo? 'Roedd wedi meddwl yn siŵr, wrth adael Niwbwrch y noson honno, ei fod wedi llwyddo i roi taw arni, am byth. Ond 'roedd hi'n dal yma, ac yntau'n mynd i golli ei fywyd o'i herwydd hi a'r Grace 'na. 'Roedd honno, y munud y daeth i'r bocs, wedi dechrau oernadu nes tynnu sylw pawb. Fe wyddai hi'n dda, fel merch ei mam, sut i dwyllo pobol ac ennyn eu cydymdeimlad. Pa obaith oedd ganddo yn erbyn y ddwy ohonyn' nhw?

Er i'r Barnwr Raine erfyn arno dreulio gweddill ei ddyddiau mewn gweddi ac ar waethaf ymdrechion diflino y Parchedig H. D. Owen, caplan carchar

Biwmares, a nifer o weinidogion lleol, ni ddangosodd William Griffith unrhyw arwydd o edifeirwch. Pan ddaeth Mary i'w weld, rhoddodd ar ddeall iddi, heb flewyn ar ei dafod, nad oedd hi'n ddim gwell na llofrudd ac y byddai'n drugaredd iddi fod wedi colli'i bywyd yn hytrach na gorfod ei fyw â'i waed o ar ei dwylo.

Carchar Biwmares

Cell William Griffith

Y daith o'r gell i'r crocbren

Drwy garedigrwydd y Barnwr Raine, caniatawyd cyfnod hwy nag arfer i William Griffith rhwng y ddedfryd a'r dienyddiad yn y gobaith, efallai, y byddai hynny'n ei gymell i syrthio ar ei fai. Fel pob carcharor arall, unwaith yr oedd y drws trwm wedi ei gau o'i ôl, bu'n rhaid iddo ildio'i ychydig eiddo personol a newid o'i grys lliain brown i ddillad llwyd y carchar. Gwnaed cyfrif manwl, yn ôl yr arfer, o'r dillad a'r eiddo, er na fyddai ar y carcharor hwn, yn wahanol i'r mwyafrif, eu hangen byth wedyn.

'Roedd yn rhaid iddo, yn ôl rheolau'r carchar, ymolchi unwaith y diwrnod a golchi'i draed unwaith yr wythnos. Ond fel un a oedd wedi ei ddedfrydu i gael ei grogi, 'roedd ei gell gymaint ddwywaith â'r un o'r celloedd eraill a'r unig un oedd â lle tân ynddi, a'i ddogn bwyd yn cynnwys cig a chawl yn ogystal â'r griwal bara a dŵr.

Nid oedd fawr balchach o'r breintiau ychwanegol fodd bynnag, er i Mr. Jones, y ceidwad, a'i wraig ddangos pob caredigrwydd tuag ato. Yn ystod ei bythefnos olaf ar y ddaear, profodd William Griffith ofn, am y tro cyntaf mewn deugain mlynedd. I un a oedd wedi byw yn ôl ei fympwy, heb hidio am neb na dim, yr oedd meddwl am wynebu marwolaeth yn hunllef. Chwyddodd yr ofn hwnnw nes ei yrru'n orffwyll ar brydiau a pheri iddo'i hyrddio'i hun yn erbyn muriau a drws ei gell, wrth geisio dianc rhagddo. Ond ar fore'r dienyddiad, 15 Medi, 1830, y gell honno oedd ei unig loches. Ac yntau wedi'i adael am rai munudau, ceisiodd ei gau ei hun i mewn drwy osod estyll y gwely yn erbyn y drws. Ond ofer fu'r ymdrech honno hefyd, ac ychydig cyn deg o'r gloch llwyddodd Samuel Burrows, y crogwr o Gaer, wedi brwydr enbyd, i rwymo'i freichiau.

Dechreuodd y Caplan ddarllen y gwasanaeth angladdol a llusgwyd y carcharor, rhwng dau swyddog, i ochr ddwyreiniol y carchar, lle'r oedd y crocbren wedi'i baratoi. Gellid clywed ei sgrechiadau a'i riddfan bellter i ffwrdd. Pan roddwyd ef i sefyll o dan y trawst, bu'n brwydro, â'r holl nerth a oedd ganddo'n weddill, i rwystro'r crogwr rhag rhoi'r rhaff am ei wddw. Yn ystod y pum munud olaf bu'n ymdrechu'n ddi-baid i geisio'i ryddhau ei hun. Ond yn wahanol i William Griffith, llwyddodd Samuel Burrows i gyflawni'i dasg a chyfiawnhau'r tâl o ddwy bunt ar bymtheg.

Cafodd y tyrfaoedd a heidiodd i Fiwmares y bore Mercher hwnnw o Fedi ddiwrnod gŵyl i'w gofio a gwnaeth y rhai a oedd yn byw yng ngolwg y carchar elw sylweddol drwy godi chwecheiniog ar bawb a ddymunai wylio'r crogi o'u tai a'u gerddi. Ond go brin fod William Griffith yn ymwybodol o'i gynulleidfa wrth iddo chwarae'i act olaf. Ni chafodd wybod i'r bobol leol wrthod helpu i godi'r crocbren ac fel y bu'n rhaid cael gweithwyr o Lerpwl i wneud hynny, na'r cysur ychwaith o glywed fod y Siryf wedi galw am ragor o gwnstabliaid, rhag ofn i'r dyrfa o dair mil geisio ei achub.

Anglesey } AT the Great Session, and General Gaol Delivery, of our Sovereign Lord the KING, of the County
to wit } aforesaid, holden and made at *Beaumaris* ———— in and for the said County,
before *Jonathan Raine*, Esquire, Justice of our said Lord the King, of his Great Session for the said County,
and William Kenrick, Esquire, one other Justice, and so forth. Also Justice of the said Lord the KING, to
deliver the Gaol of the said County of the Prisoners, in the same being, AND also Justice assigned to keep the
Peace, in the County aforesaid, and to hear and determine divers Felonies Trespasses and other Misdemeanors, in
the same County committed, on *Tuesday* —— to wit, the *Twenty fourth* —— day of
August —— in the *First* —— Year of the Reign of our Sovereign Lord, *William* the
Geowge FOURTH, now KING of the United Kingdom of GREAT BRITAIN and IRELAND, and so forth.

2nd Session
1830

Wynn Belasyse

Thursday first Court

Between our Sovereign Lord the King on the prosecution
of Mary Griffith ————
and
William Griffith Laborer ————
} *For Felony.*

whereas the said William Griffith was at this present Great Session and
General Gaol Delivery indicted arraigned and tried for that he did on the
second day of April last past with force and arms at the Parish of
Llanbeder Newborough in the said County in and upon the said Mary
Griffith feloniously unlawfully and maliciously make an assault and
then and there with both the hands of him the said William Griffith
about the Neck and throat of the said Mary Griffith fix and fasten and with both
feloniously unlawfully and maliciously did fix and fasten about the Neck and throat of her
his hands so fixed and fastened about the Neck and throat of her
the said Mary Griffith, her the said Mary Griffith then and there
feloniously unlawfully and maliciously did attempt to strangle
and suffocate with intent thereby then and there in so doing and by
means thereof feloniously unlawfully and of his malice aforethought
to murder her the said Mary Griffith, and then and there with a ——
certain stick which he had and held in his hand then and there
feloniously unlawfully and maliciously did force into the Mouth of her
the said Mary Griffith and did thereby feloniously unlawfully and unlawfully
endeavour to force the said Stick down the throat of her the said ———
Mary Griffith and in so doing by forcing the said Stick into the Mouth of
the said Mary Griffith and by endeavouring to force the said Stick ——
down the throat of her the said Mary Griffith then and there feloniously
unlawfully and maliciously wound the said Mary Griffith and so do
her some grievous bodily harm against the form of the Statute in that
Case made and provided and upon his Trial found Guilty thereof
It is therefore Ordered by this Court that he the said William Griffith
for the said Crime be from hence taken back to the Common Gaol of
the said County, the place from whence he came, and from thence on
the fifteenth day of September now next ensuing to the Common
place of Execution in this County and there be Hanged by the
Neck until he be dead ;

By the Court

To the High Sheriff of the County }
of Anglesey, his Deputy, Assistants }
Gaoler Keepers of the Gaol whom it may Concern }
to perform and execute ———

Evans D.C.C.

Warant crogi William Griffith

23

O'r un bunt a thrigain a deuddeg swllt a gostiodd dienyddiad William Griffith, talwyd deg punt a thri swllt ar ddeg i'r gweithwyr o Lerpwl am adeiladu'r crocbren a pharatoi'r arch. Anfonodd y Siryf ddeiseb i'r Trysorlys yn hawlio tair gini i'r cwnstabliaid a dwy gini i wŷr y picellau am gadw heddwch, a thalwyd gini am dorri bedd a chladdu William Griffith.

Yn ei golofn yn y *North Wales Chronicle* tynnodd y gohebydd sylw at y ffaith na fu dienyddio ym Miwmares ers dros ddeugain mlynedd. 'Roedd hynny'n ôl ym Medi 1785, yn yr hen garchar, pan grogwyd John Jones am ddwyn tair dafad yn Llanallgo, ac ym Mai 1786, pan grogwyd John Ellise am dorri i mewn i dŷ ger Pontrypont. Yn hanner cyntaf y ddeunawfed ganrif, crogwyd Siân, merch Evan, Llanddaniel, am ladrata, a Joseph a Robin, dau dincer, am ysbeilio eglwys Llantysilio. Ond William Griffith oedd y cyntaf o'r unig ddau i gael eu crogi yn y carchar newydd a agorwyd yn 1829.

Mynegodd y gohebydd ei obaith taer ddarfod i farwolaeth erchyll William Griffith fod yn rhybudd i bawb, ac yn sicrwydd y byddai i genedlaethau fynd heibio cyn y gwelid y fath beth eto. Am ddeuddeng mlynedd ar hugain, ni fu unrhyw ddefnydd i'r gell y bu William Griffith yn ei hyrddio ei hun yn erbyn ei muriau wrth geisio dianc rhag ei dynged. Ni chafodd drws y fynedfa i'r crocbren ei agor ac ni chanwyd y gloch ddienyddio nes i Richard Rowlands gael ei arwain i'w dranc, 4 Ebrill 1862. Mynnai Rowlands, i'r diwedd, ei fod yn ddieuog o lofruddio ei dad yng nghyfraith. Dywed traddodiad lleol iddo roi ei felltith ar y cloc gyferbyn â'r crocbren. Beth bynnag am hynny, nid yw'r cloc hwnnw wedi cadw'i amser byth wedyn.

Felly yr aeth y gŵr a deithiodd o Jericho i Niwbwrch noson y storm eira, i geisio dial cam deunaw mlynedd, i'w daith olaf, i roi cyfri pellach o'i fwriadau ysgeler a'r dasg na lwyddodd i'w chyflawni.

ELLEN FWYN
Mary Jones
1850

Wyrcws Caernarfon

Geneth fach o Lŷn oedd hi, ond ni lwyddodd Mary Jones i ddenu gŵr bach twt o Abertawe, mwy nag o unman arall. Ni chafodd mo'i thŷ a'i gardd ar gwr y coed chwaith, ac ni fu erioed yn berchen ar na dillad crand nac ambarel, er iddi slafio fel yr andros.

Yn bedair ar hugain oed, nid oedd gan Mary Jones fawr i ymfalchïo o'i herwydd. A hithau'n blentyn anghyfreithlon, wedi'i magu ar y plwyf, nid oedd iddi, yn ôl papurau'r cyfnod, na theulu na ffrindiau ac ni allai ddarllen nac ysgrifennu.

Ond yr oedd gan Mary deulu. Ar 22 Rhagfyr 1787, priododd John Morgan, mwynwr plwm o Lanengan, ag Elin Jones o'r un plwyf, a bedyddiwyd mab iddynt, Gruffydd, ar 25 Mai 1788. Ganed eu merch, Catherine, yn 1797. Yn ôl Cofrestr Fedydd plwyf Llangïan, bedyddiwyd Mary Jones ar 26 Chwefror 1826, yn ferch i Catherine Jones, 'spinster', Maes Mawr. Ar 18 Tachwedd 1827, bedyddiwyd bachgen bach o'r enw Jabez, plentyn siawns Catherine Jones, Castell. Er bod y cyfeiriad yn wahanol, gellir casglu mai'r un oedd y Catherine Jones a'i bod wedi cadw cyfenw'i mam. Tybed a fu iddi adael cartref yn fuan wedyn a mynd â Jabez i'w chanlyn? Nid oes unrhyw sôn pellach amdano yn Llangïan. Byddai hynny'n egluro pam y cafodd Mary ei magu ar y plwyf.

Yng Nghofrestr y Claddedigaethau, dywedir i gorff un o'r enw Catherine Jones, a fu farw ym mhlwyf Llanbeblig, gael ei ddwyn adref i'w gladdu yn Llangïan ar 30 Medi 1834. Pan adawyd Mary yn amddifad, 'roedd y nain a'r taid yn byw yn y plwyf. Mae'n ymddangos, felly, nad oedd arnynt eisiau dim i'w wneud â phlentyn siawns eu merch ac nad oedd unrhyw groeso iddi ar eu haelwyd. Fe'i magwyd gan wraig o'r enw Ellen Jones, o'r un plwyf. Pan oedd tua deunaw oed, gadawodd Mary wlad Llŷn, i geisio ymdopi orau y medrai. Ac yn gynnar yn 1850 yr oedd ganddi o leiaf do uwch ei phen, yn sgil ei chyflogi fel morwyn laeth ar fferm Coed Marion yng Nghaernarfon.

Ni chafodd fawr o gyfle i gyfri'i bendithion prin, fodd bynnag. Yn Chwefror, a hithau wyth mis yn feichiog, fe'i gorfodwyd i ildio'i lle a cheisio lloches y Wyrcws. Yno, 26 Mawrth, ganed merch fach iddi, a'i bedyddio, ar yr ail o Ebrill, yn Ellen, yr un enw â Metron y Wyrcws a mam faeth Mary.

'Roedd hi'n dân am adael y Wyrcws rhag blaen, ac ar yr wythfed o Fai llwyddodd y Metron i gael lle iddi'n forwyn fagu gyda theulu yn y dref ar y ddealltwriaeth y byddai'n trefnu i Ellen Jones, Llangïan, ofalu am y plentyn.

Drannoeth, wedi'r cinio arferol o chwe owns o fara, pedair owns o datws ac owns a hanner o gaws, gadawodd Mary'r Wyrcws a throi ei hwyneb am Lŷn ac Ellen fach wedi'i lapio'n glyd mewn siôl fenthyg. Tua dau o'r gloch y

prynhawn, cyfarfu â merch ddieithr iddi, yn Llanwnda. Dod o Ffair Bont-
newydd yr oedd Sarah Jones, ac ar ei ffordd i ymweld â'i thad, William Jones,
fferm Pentrebach, ym mhlwyf Llanaelhaearn. Bu'r ddwy'n cydgerdded am
ddwyawr. 'Roedd Sarah yn glustiau i gyd wrth glywed Mary'n adrodd ei hanes
helbulus ac yn llawn cynghorion ar sut i wella'r cramennod ar aeliau'r fechan
yn y siôl.

'Mi fydd Mam yn gwybod be i 'neud,' mynnodd Mary.

Am fynd â'r un fach i Langïan i gael ei magu gan ei mam yr oedd hi, meddai
hi wrth Sarah. Byddai gwell siawns iddi yno, gan na allai hi obeithio cael ei
chyflogi tra oedd gofal plentyn arni.

'Cym' ofal ohonot dy hun,' meddai Sarah, wrth iddynt wahanu. Prin y gallai
Mary gredu'i chlustiau. Nid oedd neb erioed wedi dweud hynny wrthi o'r
blaen na neb wedi malio dim be' ddeuai ohoni. Safodd am rai eiliadau, yn
gwylio Sarah yn diflannu i'r pellter. Go brin y gwelai hi byth eto, meddyliodd.

Hen siwrnai ddiflas oedd hi o hynny ymlaen, y blinder yn gwasgu a'r baich
yn trymhau o hyd. Nid oedd ganddi fawr o amynedd i ddal pen rheswm â'r
hen ŵr a oedd wrthi'n atgyweirio'r bont ar gwr Llanaelhaearn er ei fod o,
mae'n amlwg, yn ysu am gael holi ei hynt, ac yn llygadu'r bwndel yn ei
breichiau.

Y saer maen hwnnw, Owen Jones o'r Bontnewydd, oedd yr olaf i'w gweld
ddydd Iau a'r cyntaf i'w gweld brynhawn trannoeth, heb y bwndel yn ei
breichiau. Nid oedd ganddi fawr i'w ddweud, mwy nag arfer, ragor nag iddi
fod adref a'i bod ar ei ffordd yn ôl i'w lle newydd yng Nghaernarfon. Siarsiodd
Owen Jones hi i wneud yn fawr o'i chyfle ac i fod yn hogan dda i'w meistres.
Ac efo'r geiriau hynny yn ei chlustiau a'r awydd i'w gwireddu yn ei chalon yr
aeth Mary i'w thaith a'r blinder yn dal i wasgu arni er nad oedd ganddi,
bellach, yr un baich i'w gario.

'Roedd hi'n sobor o hwyr ar Ann Griffith yn cychwyn am eglwys
Llanaelhaearn o fferm y Gwydir Mawr, yr Hendre, fore Sul, 19 Mai. I geisio
arbed rhywfaint o amser, penderfynodd dorri ar draws y caeau. Wrthi'n
croesi Cae Bach, a arweiniai o'r tyrpeg i lan y môr, yr oedd hi pan welodd
ddarn o liain gwyn ar ymyl y ffos. Er bod ganddi chwarter milltir o ffordd i
fynd bu cywreinrwydd yn drech na hi. Gafaelodd yn nghwr y lliain a'i godi.
Yr eiliad nesaf 'roedd hi'n syfrdan gan arswyd o weld llaw fach wen yn
gorwedd o dan blygion y lliain.

Aeth y gwasanaeth rhagddo'r bore hwnnw heb Ann Griffith. Go brin fod
neb wedi gweld colli hogan o forwyn. Ond yng nghyffiniau Cae Bach, ei henw
hi oedd ar dafod pawb. Hi a arweiniodd Ellis Jones, ei mistar, at y ffos a
dangos iddo gorff llonydd merch fach, wedi'i gwisgo mewn llieiniau benthyg

28

Fferm y Gwydir Mawr

o Wyrcws Caernarfon, ac ôl cramennod ar ei haeliau. A phan aed â'r corff i eglwys y plwyf 'roedd hi yno, yn ganolbwynt y sylw.

Claddwyd Ellen fach ym mynwent eglwys Aelhaearn ddydd Mercher, 22 Mai, a chofnodwyd hynny yng Nghofrestr Claddedigaethau'r plwyf: 'A child, name unknown, a female, about a month old. The body found in a field near Hendre. Buried by order of the Coroner, I. Williams Ellis'.

Drannoeth, teithiodd Lewis John Williams, Cwnstabl Pwllheli, i Gaernarfon a gwarant yn ei boced a roddai'r hawl iddo orfodi Mary Jones i fod yn bresennol yn y cwest. Ac ar y 24 o Fai aed â hi ar ei siwrnai olaf i Lŷn, i'w chael yn euog gan y rheithgor ym Mhwllheli o lofruddiaeth fwriadol.

Prin y cafodd Mary gyfle i wneud yn fawr o'i lle newydd a bod yn hogan dda i'w meistres. Lai na phythefnos wedi iddi lwyddo i droi ei chefn ar gaethiwed y Wyrcws 'roedd hi'n ôl yng Nghaernarfon mewn llety dros dro nad oedd modd dianc ohono. Yr eneth fach o Lŷn, yn bedair ar hugain oed, heb na theulu na ffrindiau a heb allu darllen nac ysgrifennu, a'i henw, nad oedd gynt yn golygu dim i neb, wedi'i serio ar dudalennau'r papurau newyddion.

29

Eglwys Llanaelhaearn

Maes Caernarfon

O garchar Caernarfon yr aed â hi, yn ei ffrog brint a'i ffedog las, i sefyll ei phrawf ar 27 Gorffennaf, 1850. Yno clywodd Sarah Jones, a fu'n gymaint cysur iddi ar ei siwrnai, yn tystio fel y bu iddynt gydgerdded am ddwyawr. Daeth lwmp i'w gwddw wrth i Sarah ddweud gymaint o fyd oedd ganddi efo Ellen fach a pha mor awyddus oedd hi i'r plentyn gael y gofal na allai hi ei gynnig iddi.

Prin bod gan Owen Jones ddim o werth i'w ddweud, er ei holi a'i stilio a'i lygadu. Gallai'r baich yr oedd hi'n ei gario fod yn fwndel o hen ddillad, hyd y gwyddai ef. Ond 'roedd o wedi gwneud yn siŵr eu bod nhw i gyd yn gwybod nad oedd y bwndel ganddi ar ei ffordd yn ôl.

'Roedd gan yr hogan o Lanaelhaearn ddigon i'w ddweud drosti ei hun, fel petai wedi cyflawni rhyw gamp fawr. Lle buo hi na fyddai hi wedi croesi'r Cae Bach yna ddyddiau ynghynt? Lle'r oedden nhw i gyd na fydden nhw wedi clywed Ellen fach yn crio? ''Does 'na ddim byd o'i le ar 'sgyfaint y plentyn 'ma, beth bynnag'—dyna fyddai Metron y Wyrcws yn arfer ei ddweud.

'Roedd yna fythynnod o fewn tafliad carreg i'r lle'r oedd hi wedi'i gadael. Siawns nad oedd rhywun wedi clywed. Sut y gallen nhw adael i blentyn bach fel yna grio, heb wneud dim? On'd oedd rhyw ddynes wedi dweud iddi hi a'i gŵr glywed sŵn yn dod o'r Cae Bach y noson honno. Wedi meddwl yr oedd hi, meddai hi, mai bref oen oedd o, er ei bod hi'n ddiwedd Mai arnyn nhw'n dod â'r defaid i lawr o'r mynydd. Fe fyddai unrhyw un call yn gwybod y gwahaniaeth rhwng bref oen a chrio plentyn, p'run bynnag. A pham nad aethon nhw yno i weld, rhag ofn. Nid ei dir o oedd o, meddai'r Ifan Ifans yna. Pa wahaniaeth am hynny? Be' oedd yn bod arnyn nhw i gyd, mewn difri?

31

'Roedd hi wedi lapio dwylo'r fechan ym mhlygion y wlanen, rhag ofn iddi gripio'r briwiau ar ei haeliau. Dim ond gobeithio y byddai pwy bynnag a ddeuai o hyd iddi'n gwybod sut i'w trin. Yna, gwnaethai wely bach twt iddi yn y gwair, ei rhoi i orwedd ar ei hochr chwith, rhag ofn iddi fygu, a thaenu pais wlanen dros ei choesau. Wedi marw o oerni a diffyg maeth yr oedd hi, meddai'r doctor o Bwllheli. Ond 'roedd ei bol hi'n llawn a'i gwar yn gynnes pan adawodd hi.

Wrth iddi gerdded am Gaernarfon y noson honno, teimlai fel petai wedi gadael darn ohoni ei hun ar ôl. 'Roedd hi wedi disgwyl y byddai'r daith yn ysgafnach, heb faich i'w gario, ond 'roedd pob cam yn dreth a rhyw hen boen, nad oedd hi erioed wedi ei deimlo o'r blaen, yn pwyso arni. Cofiodd fel y byddai un o hen wragedd y Wyrcws yn lapio'i breichiau amdani ei hun ac yn siglo'n ôl ac ymlaen, dan gwyno. 'Oes ganddoch chi boen, Jane Ifans?' holai hithau. Yr un fyddai'r ateb bob tro—''Y nghalon i sy'n brifo, wel'di'.

'Roedd ei chalon hithau wedi brifo'i siâr er y diwrnod hwnnw ym Mhwllheli pan ddwedon nhw ei bod hi wedi lladd Ellen fach. Dyna oedd y Mr.

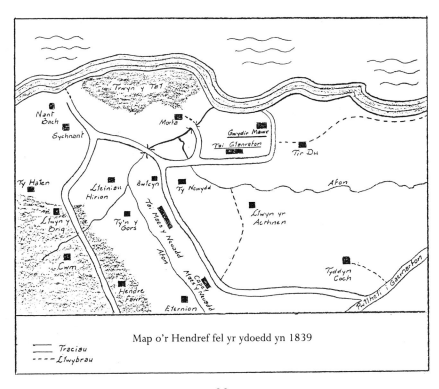

Map o'r Hendref fel yr ydoedd yn 1839

——— Traciau
- - - - Llwybrau

Welsby 'ma'n ei gredu, hefyd. Sut y gallen nhw feddwl y ffasiwn beth? Mae'n rhaid fod colled arnyn nhw.

Syllodd Ellen Jones yn ddirmygus ar yr eneth gyferbyn. Nid oedd ei dagrau'n mennu dim arni hi. I feddwl ei bod hi wedi cymryd trugaredd arni a chytuno i'w magu, i gael ei llusgo drwy'r baw fel hyn. 'Roedden nhw'n ceisio'i beio hi am fethu rhoi'r cychwyn iawn iddi, a rhyw hen ddyn powld yn mynnu y dylen nhw fod wedi'i dysgu hi i ddarllen ac ysgrifennu. Pa well fyddai hi ar hynny? On'd oedd gwreiddyn y drwg ynddi o'r dechrau? 'Roedd hi wedi darogan, sawl tro, na ddeuai unrhyw dda ohoni, mwy na'i mam, unwaith y câi hi fesur o ryddid.

Diniwed oedd hi, meddai'r Mr. Walker yna oedd yn ei hamddiffyn hi. 'Roedd hwnnw eisiau rhywbeth i'w wneud. Dyn yn ei safle fo yn gwastraffu'i amser ac amser pawb arall yn ceisio perswadio pobol nad oedd hi'n gyfrifol am yr hyn a wnaeth, ac yn mynnu mai wedi colli'i phwyll dros dro oherwydd twymyn laeth yr oedd hi.

Gallai fod wedi dweud wrthyn nhw mai rhyw dwpsan fuo hi erioed. Ond o'r eiliad y cerddodd hi i mewn a chyn iddi gael cyfle i ddweud fawr ddim 'roedd yr hogan wirion wedi cael pwl o sterics ac yn gweiddi crio dros y lle. 'Roedd hi braidd yn hwyr yn y dydd i hynny.

Dwy flynadd, dyna ddwedodd Ellen Jones—fod dwy flynadd er iddyn nhw weld ei gilydd. Sut y gallai hi? Ond 'roedd hi wedi dweud fwy nag unwaith, ran'ny, nad oedd arni eisiau dim i'w wneud â hi a'i bod yn difaru iddi erioed agor ei drws iddi. 'Roedd hi wedi diolch, ganwaith, meddai, nad oedd yna unrhyw berthynas gwaed rhyngddyn nhw. Gallai hithau ddweud yr un peth.

'Roedd hi'n falch o gael rhoi ei chlun i lawr. Y dyn efo'r wyneb ffeind oedd wedi mynnu iddyn nhw estyn cadair iddi ac wedi rhoi taw ar Ellen Jones pan ddechreuodd honno ddweud hen bethau cas amdani. Fo oedd wedi dangos iddyn nhw, ar glamp o bapur mawr, mor agos oedd y bythynnod i'r lle'r oedd hi wedi gadael Ellen fach. Ond 'roedd o ar fai'n ceisio honni fod colled arni hi. Er na allai dorri'i henw, 'doedd hi ddim yn ddwl, nac yn wirion chwaith.

Synfyfyrio felly yr oedd hi pan barod rhyw ddyn yr oedd pawb wedi bod yn plygu'u pennau iddo ac yn ei alw'n 'mei lord' iddi godi ar ei thraed unwaith eto. Rhywun fel hwn oedd Duw, debyg, yn gweld ac yn gwrando pob dim. Fe ddylai wybod, felly, ei bod hi wedi dewis ei lle'n ofalus ac na fyddai wedi cymryd y byd â gadael Ellen fach allan o glyw pobol. 'Roedd o'n dweud rhywbeth am Ellen Jones, rhywbeth cas yn ôl yr olwg guchiog oedd ar honno. Eitha' gwaith â hi. Be' oedd ar ei phen hi'n meddwl am roi'r fechan yng ngofal y fath un? Ond pa ddewis arall oedd ganddi, ar y pryd?

'Roedd o'n tewi, o'r diwedd, a chriw o ddynion yn cerdded allan. Siawns na châi hithau ei thraed yn rhydd bellach. Yn ôl i'r Wyrcws yr âi hi, debyg. Byddai'n o chwith arni yno, heb gwmni'r un fach. Ond 'doedd hi ddim yn bwriadu aros yno eiliad yn hwy nag oedd raid. Fe wyddai'r Metron nad oedd ganddi ofn gwaith. A'r cwbwl yr oedd hi ei eisiau rŵan oedd y siawns i brofi hynny.

Ond ni chafodd Mary, mwy nag arfer, gyfle i roi ei phenderfyniad ar waith. Dri chwarter awr yn ddiweddarach, mewn canlyniad i ddedfryd y rheithgor o ddynladdiad, cyhoeddodd 'mei lord' fod Mary Jones i gael ei halltudio am weddill ei hoes.

Fe wnaeth y *Chronicle* a'r *Carnarvon and Denbigh Herald* yn siŵr fod pawb, o Gaernarfon i Lŷn, yn dod i wybod am dynged Mary Jones. Ond mae rhai cwestiynau'n codi nad oes ateb iddynt, ac na ellir ond dyfalu'n eu cylch. Tybed a fu i Mary, yn ôl ei bwriad, alw i weld Ellen Jones ac i honno, yn ei dirmyg ohoni, ei throi o'i drws? A beth, tybed, aeth â hi i blwyf Llanaelhaearn?

Yn gynnar yn 1850, agorwyd chwarel sets Y Gwaith Mawr, yn yr Hendre. Daeth Trefor Jones o Nebo, Llanllyfni, cyn-fforman Samuel Holland, un o arloeswyr y diwydiant llechi yn y Gogledd, yno'n stiward, a bu'n byw o 1852 hyd ei farw yn 1860, yn y tŷ a elwir Yr Hen Offis, ar yr hen ffordd haearn.

Yr Hen Offis: cartref Trefor Jones

Gant a deugain o flynyddoedd yn ddiweddarach, mae'r si yn para mai'r Trefor Jones hwn, hen lanc parchus-grefyddol, oedd tad plentyn Mary Jones. Ai chwilio amdano ef yr oedd Mary y noson honno o Fai? Yn 1850 'roedd Trefor Jones yn aros yn Gwydir Bach, y tyddyn agosaf i'r Gwydir Mawr, efo Robert a Margaret Hughes. Ddaeth hi o hyd iddo, tybed? Nid oes mwg heb dân, medden nhw, ond beth bynnag am hynny, siwrnai ofer fu un Mary Jones.

Chwe blynedd yn ddiweddarach, pan osodwyd sylfaen tai'r gwaith, bedyddiwyd yr Hendre yn Trefor, o barch i'r stiward cyntaf.

Bu Elin Morgan farw yn ei chartref, 'Fraingc', Llangïan flwyddyn wedi i'r rheithgor gael ei hwyres yn euog o ddynladdiad. Ond yn Wyrcws Pwllheli y diweddodd Ellen Jones ei hoes, heb na theulu na ffrindiau, ac fe'i claddwyd yn Llangïan ar y pedwerydd ar ddeg o Fehefin, 1865.

Llong wedi'i hadeiladu yn Sunderland oedd yr *Aurora*, patrwm o long o'i chymharu â'r llongau cynharach fel *Friendship*, *Pitt* a'r *Prince of Wales*.

I fyny hyd at y pedwardegau, byddai cymaint o ferched wedi eu gwasgu i mewn i'r howld fel na allent ond prin symud. 'Roedd yr aer yn fyglyd a thrymaidd a'r pyg a syrthiai'n ddafnau o'r trawstiau yn llosgi eu cnawd. Nid oedd ganddynt ddewis ond ildio i ymosodiadau rhywiol y swyddogion a'r criw a wynebu'r sarhâd o gael eu labelu'n buteiniaid mewn canlyniad i hynny.

Wedi iddynt gyrraedd Awstralia, fe'u gorfodid i'w gwerthu eu hunain, gan nad oedd ganddynt na bwyd nac arian na gobaith dychwelyd byth. Gallai'r cyn-droseddwyr a'r mewnfudwyr eu trin fel y mynnent a hyd yn oed pan gaent eu cyflogi byddai gofyn iddynt foddio dyheadau'r meistr a'i feibion fel rhan o'u dyletswydd. Ond, wedi'r cyfan, onid dyna amcan y Llywodraeth wrth eu hanfon yno? Rhwng 1841 ac 1852, pan ddaeth y trawsgludo i ben, glaniodd hanner cant o longau ym mhorthladd Hobart, pob un ohonynt yn cario rhwng cant a hanner a dau gant o ferched.

Er bod howld yr *Aurora* yn orlawn, prin oedd y marwolaethau, gan fod yr amodau byw wedi gwella'n aruthrol dros y blynyddoedd. Yn yr howld honno y cafodd yr eneth fach o Lŷn lety arall dros dro, ar ei ffordd i wlad Van Diemen. Yn rhannu'i llety yr oedd geneth o'r un enw â hi, o Sir Ddinbych, ac un arall o'r De. Gweini yn Sir Fôn yr oedd Ellen Davies pan gafodd ei chyhuddo o ddwyn darn o gaws ac ychydig dafelli o gig moch a'i dedfrydu i gael ei thrawsgludo am saith mlynedd. Ar lwgu yr oedd hi, meddai hi, yn rhy wan i allu sefyll ar ei thraed. 'Roedd Mary'n cofio teimlo felly, sawl tro, ond ni chawsai erioed ei themtio i roi ei phump ar eiddo neb arall. Ond 'roedd hi'n fodlon maddau unrhyw beth i eneth o'r un enw ag Ellen fach.

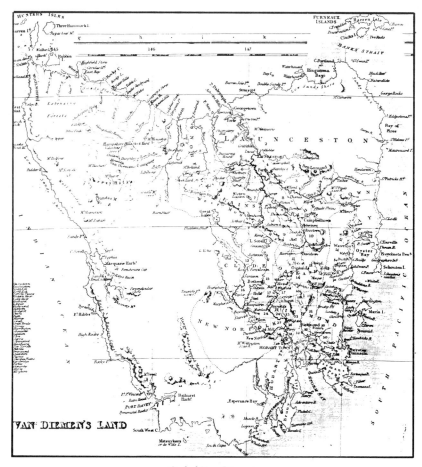

Gwlad Van Diemen

Dri mis yn ddiweddarach 'roedden nhw'n ffarwelio, am byth, a Mary'n cychwyn am ei lle newydd. I blentyn anghyfreithlon, wedi'i magu ar y plwyf, a heb na theulu na ffrindiau, nid oedd fawr o wahaniaeth rhwng bod yn forwyn laeth yng Nghoed Marion, Caernarfon a gweini ar fferm yng ngwlad Van Diemen. Ond wrth iddi droi ei chefn ar Ellen Davies, yr oedd ei chalon yn brifo, fel yr oedd hi pan adawodd Sarah Jones ac wrth iddi gerdded yn ôl, heb ei baich, am Gaernarfon y noson honno o Fai. Ni châi fawr o gysur wrth feddwl fod ganddi, yn y bag lliain a gawsai wrth iddi adael y llong, fwy o ddillad nag y bu'n berchen arnynt mewn chwarter canrif, yn beisiau a chobenni, cotwm a gwlanen, dwy ffrog frethyn frown, cap lliain a ffedogau, hancesi poced, tri phâr o hosanau a dau bâr o esgidiau—digon i bara am oes.

Ac ni fu rhagor o sôn am yr eneth fach o Lŷn a orfodwyd, oherwydd amgylchiadau, i aberthu'r unig beth o werth a fu ganddi erioed.

BE WNA' I Â'R GWSBERIS?
John Roberts
1853

Swan, Rowen: cartref Jack bach

Ychydig wedi wyth fore Mercher, Awst y degfed, 1853, galwodd Ellen Roberts, Swan, y Rowen yn nhŷ cymydog. 'Wel, mae Sionyn wedi darfod bellach,' meddai.

Tua'r un amser, 'roedd John, ei fab tair ar hugain oed, yn galw ar y dienyddwr i atal ei law ac yn manteisio ar y cyfle olaf i rybuddio'r dyrfa enfawr rhag dilyn ei gamre ac i gymryd esiampl ohono. Yna, wedi iddo erfyn, 'Arglwydd Iesu, derbyn f'ysbryd' ac adrodd rhan o'r emyn 'Iesu, cofia fi', tynnodd y dienyddwr y cap dros ei wyneb. Am ugain munud wedi wyth y bore hwnnw, 'roedd Sionyn wedi darfod.

Rhag ymestyn yr artaith, bu'r awdurdodau'n ddigon ystyriol i ganiatáu cwymp hir o dair troedfedd gan mai un bychan, eiddil o gorff oedd John Roberts, neu Jack bach Swan i bobl y Rowen. Dan amgylchiadau arferol, ni fyddai neb wedi trafferthu edrych ddwywaith arno a byddai wedi diflannu i ebargofiant oni bai iddo, ar yr ail o Fai, 1853, sicrhau rhyw fath o anfarwoldeb iddo'i hun.

Er bod rhai o bapurau'r cyfnod yn credu ei fod yn 'grossly ignorant' am na allai na darllen na siarad Saesneg, bu'n weithiwr eithaf diwyd yn ystod ei oes fer, gan dreulio cyfnodau yn chwareli Bethesda ac ar reilffordd Caer i Gaergybi. Priododd ferch o Abergele yn 1852, ac aeth y ddau i fyw i Lysfaen, ond flwyddyn yn ddiweddarach 'roedd yn ôl gyda'i fam a'i chwaer yn y Roe, heb na gwraig na gorchwyl. A'r gwanwyn hwnnw, mynnodd y diafol roi amgenach gwaith i ddwylo segur Jack Swan na saethu cwningod ac ysgyfarnogod.

Ond dyna oedd ei fwriad y prynhawn hwnnw pan roddodd ddwy a dimai i Margaret Jones, geneth fach o'r pentref, a pheri iddi fynd i siop-bob-peth Mr. Hughes i nôl gwerth ceiniog o bylor, gwerth ceiniog o haels a gwerth dimai o 'copper-caps'.

Pan ddychwelodd yr eneth o'r siop, 'roedd Jack wedi diflannu. Aeth hithau am adref, a'i gael yn aros amdani. Prin y cafodd Magi ddiolch am ei thrafferth, heb sôn am y ddimai y rhoesai ei bryd arni. 'Mi gei 'neud dy negas dy hun tro nesa,' meddai dan ei gwynt, wrth droi am y tŷ.

Ddwyawr yn ddiweddarach, galwodd Jack yn ffermdy Penyfelin i ofyn i William Evans, y nyddwr, a gâi fenthyg ei ddryll, gan ei fod eisiau saethu ysgyfarnog oedd yn gorwedd ar ei gwâl. Oddi yno, aeth i dŷ David Williams, y cariwr, a bu'n sgwrsio am sbel gyda Jane, ei wraig.

'Be sy' gen ti 'mhocad dy gôt, John?' holodd Jane Williams. 'Gwn ydi o, d'wad?'

'Ia.'

'Sut wyt ti wedi gallu cael peth felly i le mor fychan?'

'Wedi'i dynnu o'n ddau ddarn ydw i. 'Does 'na ddim ergyd ynddo fo.'

'Roedd hi tua phump o'r gloch, a Robert a Jesse Roberts wrth eu te, pan ddaeth Jack heibio i ofyn i Jesse a oedd ganddo flys mynd i saethu cwningod.

'Lle wyt ti am fynd, felly, Jack?' holodd Robert.

'I fyny am Gerrig y Pryfaid. Maen nhw'n heidio yn fan honno.'

Syllodd Robert yn galed ar Jack dros ymyl ei gwpan. Nid oedd fawr ohono yn y golwg, rhwng yr het Jim Cro wen a'r clogyn melfed llaes, du a oedd wedi'i fotymu hyd at ei ên.

''Does 'na ddim curo ar gig cwningan, Robert Roberts.'

'Nac oes, fachgan.'

Gallai Jack wneud efo boliad go dda o fwyd, meddyliodd Robert. 'Roedd pawb yn cymryd ei fod wedi setlo tua'r Llysfaen 'na, ond dyma fo'n ei ôl eto ar ofyn yr hen wraig. A hithau'n byw ar y plwyf, prin y gallai Ellen Roberts ei chynnal ei hun.

'Faint wyt ti am aros tro yma?' gofynnodd.

''Does w'bod. Fiw rhoi wya 'dana i.'

Yn dawel bach, gobeithiai Robert na fyddai'n loetran yn rhy hir. Nid fod ganddo ddim yn erbyn y bachgen, ond 'doedd o mo'r cwmni gorau i Jesse. Edrychodd gyda balchder ar ei fab un ar bymtheg oed. Nid oedd erioed wedi dychmygu y byddai ganddo ef, crydd yn rhygnu byw, fab yn ddisgybl athro yn yr ysgol Frytanaidd. Proffwydai Morgan Davies, y mistar, fod dyfodol disglair

Ysgol Rowen

42

iddo, ac addawai wneud popeth a allai i sicrhau hynny. 'Rhodd', dyna oedd ystyr yr enw Jesse, yn ôl Morgan Davies. Ac ni chawsai neb erioed well mab, yn dawel a dwys, yn aelod ffyddlon gyda'r Methodistiaid, ac yn gefn garw iddo yntau ar ôl colli Elizabeth y llynedd. Byddai galw mawr arno i ddarllen llythyrau i hwn a'r llall, a Jack yn eu mysg. Ni allai'r creadur hwnnw dorri'i enw hyd yn oed. Nid oedd ganddo unrhyw barch tuag at y Sabath, chwaith, na diddordeb mewn dim ond gwag-swmera a herwhela. 'Roedd cadw cwmni ofer wedi dinistrio sawl un.

'Faint o'r gloch wnaiff hi rŵan, Jesse?' holodd.

Tynnodd Jesse'r oriawr y cawsai ei benthyg gan ei frawd ryw ddeufis ynghynt o'i boced. 'Roedd sbecyn o lwch ar ei hwyneb, a sychodd hi'n ofalus â'i hances boced. Er bod tua thair blynedd bellach er pan brynodd Henry hi gan John Jones, Watchmaker, yn Abergele, 'roedd hi'n dal fel newydd. Rhyw ddiwrnod, byddai ganddo yntau oriawr fel hon, a giard arni. Ond 'roedd sbel i fynd cyn hynny. Dim ond gobeithio y byddai Henry'n fodlon iddo'i chadw ychydig yn hwy. Byddai ar goll hebddi.

'Deng munud wedi pump, Nhad. Mae'n well inni 'i chychwyn hi.'

Gadawodd Jesse a Jack y tŷ.

'Fydda' i ddim yn rhy hir,' galwodd Jesse, dros ei ysgwydd.

Tua hanner awr wedi pump, gwelodd Margaret Sloan, Mount Pleasant, a John ei mab, y ddau yn mynd heibio i'r tŷ, ac ychydig funudau'n ddiweddarach cyfarfu Elin Owen, Erw, â nhw wrth ymyl Beiart. Cyn iddi gael cyfle i dynnu sgwrs, fodd bynnag, 'roedd y ddau wedi brasgamu ymlaen i gyfeiriad y mynydd. Hi oedd yr olaf i weld Jesse Roberts yn fyw.

> O fewn i'r pentref bychan 'Roe'
>   Yn ymyl Conwy fad,
> Preswyliai Jesse Roberts wiw,
>   A byw 'roedd gyda'i dad,
> Yn fachgen ieuangc hardd a theg,
>   Yn un-ar-bymtheg oed,
> Un syml oedd, a'i synwyr cryf
>   'N anwylaf un erioed.
>
> Y llofrudd hefyd o'r un lle
>   Yr hanodd ef ei hun,
> Yr hwn o'i frad drwy erchyll fodd
>   A laddodd 'ranwyl ddyn.
> Ei ddenu wnaeth mewn dichell ddrwg
>   O olwg dynol ryw,
> I anial fan, — mae hyn ar g'oedd
>   Lle nad oedd neb yn byw.

43

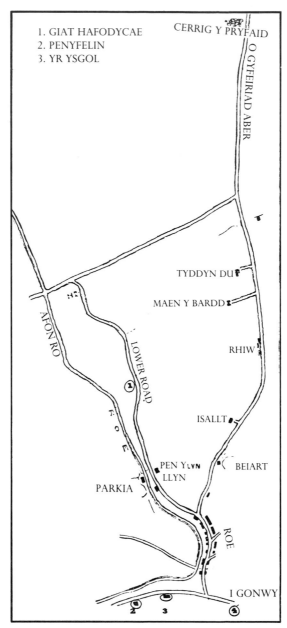

1. GIAT HAFODYCAE
2. PENYFELIN
3. YR YSGOL

CERRIG Y PRYFAID

O GYFEIRIAD ABER

TYDDYN DU

MAEN Y BARDD

AFON RO

LOWER ROAD

RHIW

ROE

ISALLT

PEN YLYN
LLYN

BEIART

PARKIA

ROE

I GONWY

Y daith i Gerrig y Pryfaid

44

'Rol iddo'i gael i ddirgel fan,
    Ei amcan 'roes mewn grym,
Ac ato ef anelu wnaeth
    Y llofrudd 'n eithaf llym.
A thanio wnaeth ei nerthol ddryll,
    'R hwn roes yr erchyll friw,
A hyrddio wnaeth y bachgen glan
    O'i blaen o dir y byw. [1]

Gyrru merlod ei feistr, Mr. Elias, i fyny am y mynydd yr oedd William Williams ychydig wedi saith y noson honno pan gyfarfu â Jack wrth ymyl Hafod y Cae, ryw dri chwarter milltir o'r pentref.

'Agor y llidiart 'na imi, Jack bach,' galwodd.

Gwnaeth yntau hynny, ond cyn i William gyrraedd y llidiart 'roedd Jack wedi diflannu drwy fwlch yn y gwrych. Am hanner awr wedi saith, wrth iddi ei weld yn mynd heibio, gofynnodd Margaret Jones, Parciau, iddo a fyddai'n ei helpu i ddal y ci, ond ni chymrodd unrhyw sylw ohoni. I gyrraedd y Parciau o Hafod y Cae, byddai gofyn iddo fod wedi croesi afon Ro. Fe'i croesodd eilwaith, ar ei ffordd i Benyfelin, a thrwy hynny osgoi'r pentref.

Ar gychwyn i'r capel yr oedd Elizabeth Roberts, y forwyn, a'r teulu eisoes wedi gadael. Mynnodd Jack iddi ddatgloi'r drws.

'Mi 'dw i ar frys,' cwynodd y forwyn.

'Finna hefyd,' atebodd Jack.

'Roedd o'n fodiau i gyd wrth iddo agor botymau'r clogyn a thynnu'r gwn o'r boced tu mewn. Rhoddodd y baril a'r stoc at ei gilydd a'i osod ar hoelen.

'Hwnna gawsoch chi 'i fenthyg gen mistar pnawn 'ma, yntê,' meddai hi. 'Lwyddoch chi i saethu rwbath?'

'Dim ond wiwar,' atebodd Jack. 'A chofiwch ddeud hynny wrth William Evans.'

Sylwodd Elizabeth fod godreon ei drowsus a'i esgidiau'n wlyb, a'i ddillad yn fudr. 'Roedd ci bach yn ei ganlyn a gwrthododd y forwyn i hwnnw ddod i mewn, rhag iddo faeddu'r llawr.

Pan alwodd Jack yn nhŷ David Williams, y cariwr, rhwng naw a deg y noson honno, fodd bynnag, 'roedd het silc ddu a chôt gyffredin wedi cymryd lle'r het Jim Cro a'r clogyn melfed du.

'Mi wyt ti'n ddestlus iawn heno, Jack,' sylwodd Dafydd.

Anwybyddu'r sylw a wnaeth Jack, a gofyn i'r cariwr a allai gymryd ei gist ddillad i Gonwy fore trannoeth gan ei fod am fynd yn ôl at ei wraig i Lysfaen. Pan ddywedodd Dafydd nad oedd yn bwriadu mynd i Gonwy, bu Jack yn erfyn yn daer arno nes llwyddo i'w berswadio i fynd â'r gist gynted ag oedd bosibl.

'Roedd Jack Swan ei hun yng Nghonwy yn gynnar fore trannoeth ac yn loetran wrth yr Hen Neuadd pan ddaeth William Roberts, y llifiwr, un o'i gydnabod, heibio.

'Be wyt ti'n 'i 'neud yn fan'ma, Jack?' holodd.

'Aros i'r siopa' agor. Maen nhw'n hir ar y naw.'

'Mi wyt ti ar frys garw. Wyt ti wedi gwella ar ôl y dwymyn 'na gest ti, d'wad?'

'Ydw'n bur dda. Ond mae gwadna' 'nhraed i'n dal yn o ddrwg. Fedrwch chi ddim cael tybaco imi yn rhwla? 'Does gen i'm blewyn ar ôl.'

'Na alla i wir. Mae'n rhaid imi fynd am 'y ngwaith, wel'di.'

Ac aeth William Roberts yn ei flaen, heb fawr feddwl y byddai'n gweld Jack Swan eto cyn nos, a hynny o dan amgylchiadau pur wahanol.

Yn ôl yn y Roe, teimlai Robert Roberts yn gythryblus iawn ei feddwl. Ni fyddai Jesse byth wedi aros allan dros nos heb fod rheswm digonol am hynny. Mae'n rhaid ei fod wedi cael damwain, meddyliodd. Ond lle'r oedd y Jack yna, na fyddai wedi rhoi gwybod iddo? Penderfynodd fynd i chwilio am ei fab gan ddilyn yr hen ffordd Rufeinig a arweiniai i Aber a Llanfairfechan dros Fwlch y Ddeufaen, heibio i Gromlech Maen y Bardd, a elwid yn Gwt y Filiast gan yr hen drigolion. Dringai'r ffordd i'r ucheldir, ryw naw can troedfedd uwchlaw'r môr.

Bu Jesse ac yntau'n cerdded y ffordd honno sawl tro. Cofiodd fel y byddai Jesse'n dychmygu ei fod yn clywed sŵn traed y llengoedd Rhufeinig wrth iddynt orymdeithio dros y Bwlch a'r hen Dderwyddon yn cynnal eu seremonïau o fewn y cylchoedd cerrig yr oedd eu holion yma ac acw ar y mynydd. Wrth iddo ddringo'n uwch am Gerrig y Pryfaid, craffai Robert Roberts i dde a chwith, gan alw enw'i fab, ond nid oedd dim i'w weld ond ehangder o dir anial, na dim i dorri ar y tawelwch llethol.

Erbyn y prynhawn, 'roedd nifer helaeth o ddynion y pentref, yn cynnwys Morgan Davies, yr ysgolfeistr, wedi ymuno â'r tad, ond er iddynt chwilio pob cwr o'r mynydd yng nghyffiniau Cerrig y Pryfaid bu'r cyfan yn ofer. A hwythau ar fin ildio, daeth Owen Jones, Waen Newydd, bugail a oedd yn adnabod y mynydd fel cledr ei law, o hyd i Jesse yn gorwedd ar ei gefn mewn agen rhwng dwy graig. 'Roedd yr ogof tua saith troedfedd o ddyfnder a charreg fawr yn cuddio'r agoriad iddi. Yn ddiweddarach, sylwodd y bugail fod het Jim Cro lwyd wedi cael ei gwasgu i hollt mewn craig gyfagos a bu'n rhaid iddo ddefnyddio'r bach a oedd ym mhen ei ffon i'w thynnu allan. Cafwyd bod tyllau pelenni yng nghantel yr het honno a smotiau gwaed ar hyd-ddi.

> Pan welwyd colli Jesse. Er arswyd pentre Roe,
> Pawb oedd yn dechrau dychryn. Am hyn mewn bryn a bro.
> Aeth rhai at Gerrig Pryfaid. Fe welwyd yno waed,
> A'i gorph mewn lle cuddiedig. Cyd rhwng y cerrig gaed. [2]

Yr agoriad i'r 'ogof' ar Gerrig y Pryfaid

Cofiodd Morgan Davies fel y bu iddo egluro i Robert Roberts mai 'rhodd' oedd ystyr yr enw Jesse. Ond ystyr arall yr enw, 'aberth', un y tybiai ar y pryd y byddai'n ddoethach iddo'i gelu oddi wrth y tad, oedd flaenaf ym meddwl yr ysgolfeistr wrth iddo benlinio ger y corff. Pwy, mewn difri, meddyliodd, a allai fod wedi ysbeilio bywyd un mor ddiniwed, un na wnaethai erioed gam â neb, a pham? Agorodd fotymau côt Jesse i'w troi y naill du, ac wrth iddo deimlo gwacter y boced lle y cadwai Jesse'r oriawr, cafodd ateb i'r 'pam'. Yr oedd yr oriawr yr oedd y disgybl athro mor falch ohoni wedi diflannu.

Yr un prynhawn, gorweddai'r union oriawr honno ar gledr llaw John Jones, Watchmaker, Abergele. Nid oedd angen iddo agor y cefn i wybod mai ef oedd wedi ei gwerthu. 'Roedd hi'n tynnu am dair blynedd, siŵr o fod, ond gallai gofio'r diwrnod fel petai'n ddoe, a chofio balchder y prynwr wrth iddo'i chael yn ei feddiant. Ni fyddai hwnnw byth wedi madael â hi, meddyliodd.

'Am ei gwerthu hi ydach chi, ia?' holodd, yn amheus.

'Faint rowch chi imi amdani?'

'Lle cawsoch chi hi, felly?'

'Ffeirio wnes i, mewn tŷ tafarn ym Mangor.'

Syllodd John Jones dan ei guwch ar y gŵr ifanc. A beth fyddai gan un fel hwn i'w roi'n gyfnewid am oriawr, tybed? Ond nid ei fusnes ef oedd hynny.

'Phryna i mohoni hi,' meddai. 'Ond mi 'dw i'n fodlon taro bargen efo chi.'

Erbyn pedwar o'r gloch, y trydydd o Fai, 1853, 'roedd yr oriawr yn ôl ym meddiant John Jones, Watchmaker a Jack Swan yn berchen ar awrlais a drych, wyth swllt o arian a hen oriawr, nad oedd i'w chymharu ag un Henry, brawd Jesse.

> Fe aeth drwy Gonwy dranoeth, fel mae gwybodaeth bur,
> A hefyd i Abergele, i werthu'r Watch mae'n wir.
> Er iddo fethu ei gwerthu, Fe'i ffeiriodd yn ddi ffael
> Am Gloc a Glass ac wyth swllt, A Watch ar hanner Traul. [2]

Yn hwyr y prynhawn hwnnw, ar derfyn ei ddiwrnod gwaith, cychwynnodd William Roberts, y llifiwr, am Lysfaen yng nghwmni'r Cwnstabl Goosey. 'Roedd yn ddeg o'r gloch arnynt yn cyrraedd. Cawsant Jack yn ei wely yn nhŷ ei fam yng nghyfraith. Wrth iddo ddeffro o'i drymgwsg a gweld y Cwnstabl yn gwyro uwch ei ben, cododd ar ei eistedd yn wyllt a gweiddi, 'Mwrdwr'. Rhoddod Goosey efynnau am ei arddyrnau, ond llwyddodd Jack i dynnu ei ddwylo allan ohonynt. Pan holodd y wraig a'r fam beth oedd yn bod, dywedodd y Cwnstabl ei fod yn cymryd John Roberts yn garcharor ar y cyhuddiad o ddwyn dryll. Bu'n rhaid iddynt aros am ddwyawr cyn gallu gadael y tŷ, gan fod Jack mewn cyflwr truenus ac yn crynu'n ddilywodraeth.

Yn oriau'r bore, ar y pedwerydd o Fai, cyrhaeddodd y tri'n ôl i Gonwy a rhoddwyd Jack o dan glo yn y loc-yp. Yno, gofynnodd Goosey iddo —

'Ymh'le gadawsoch chi Jesse, John Roberts?'

'Yn nhŷ ei dad,' atebodd yntau. 'Pam, be sy'n bod arno fo?'

'Mae o wedi cyfarfod ag amgylchiad difrifol. Mae rhywun wedi ei ladd, ac maen nhw wedi dod o hyd i'r corff.'

'Ydyn nhw'n meddwl 'y mod i wedi gwneud rhywbeth iddo fo?'

'Mae 'na amheuaeth gref.'

'Dyna maen nhw'n 'i feddwl, ia?'

'Mi fydd gofyn i chi fynd i'r trengholiad.'

''Does gen' i ddim byd yn erbyn hynny.'

Yn ddiweddarch yn y dydd, cafodd Goosey wybod gan y Cwnstabl Rhodes, Abergele iddo fynd ar ei union i siop John Jones ar ôl clywed si yn y ffair fod dyn wedi ei lofruddio a'i oriawr wedi cael ei dwyn. Rhoddodd ddisgrifiad manwl i'w gyd-weithiwr o'r dyn a geisiodd ei gwerthu i'r oriadurwr.

'Sut cawsoch chi afael ar yr oriawr yna?' gofynnodd y Cwnstabl i Jack.

''I phrynu hi am bedair sofren gan Jesse ddydd Sadwrn wnes i. Mi rois i un sofren iddo fo, ac addo talu'r gweddill mor fuan ag oedd bosib.'

'Ond 'roedd yr oriawr ganddo fo brynhawn Llun.'

'Ar y ffordd i'r mynydd y ce's i hi. Mi alwodd heibio imi bnawn Llun, wrth ddod o'r ysgol. 'Roedd o flys mynd i saethu cwningod, medda fo, ac wedi cael benthyg gwn gan William Evans. Pan oeddan ni ar y mynydd, yn ymyl Cerrig y Pryfaid, fe welson ni wningen ifanc yn codi, ac fel 'roeddan ni'n rhedeg tuag ati fe ryddhaodd Jesse gliced y pistol, yn barod i'w saethu. Ond mae'n rhaid ei fod o wedi baglu dros garreg a'r peth nesa' glywais i oedd sŵn ergyd. Mi ruthrais i ato fo, ond 'roedd o'n farw gelain.'

'Wedi'i saethu'u hun, felly?'

'Wel, ia, wrth faglu, debyg. 'Ro'n i wedi bwriadu'i gario fo adra, ond ro'n i'n rhy wan, a'r cwbwl fedrwn i 'i 'neud oedd 'i lusgo fo i le esmwyth rhwng dwy garrag.'

'Ond pam na fyddach chi wedi mynd i ddweud wrth y teulu?' holodd y Cwnstabl.'

Rhoddodd Jack ei law ar ei galon.

'Dyma lle'r oedd y drwg,' meddai. ''Roedd hon yn rhy drom.'

Yr un dystiolaeth a roddodd John Roberts o flaen y Crwner, Griffith Powell, yn y trengholiad a gynhaliwyd yn nhafarn y Tŷ Gwyn, Roe ar y pumed o Fai. Ysgrifennwyd yr adroddiad yn Saesneg gan William Hughes, a'r Crwner yn cyfieithu, ac yna'i ddarllen yn ôl i Jack, wedi'i atgyfieithu, fel y gallai ef roi ei nod arno. 'Roedd wedi gadael y pistol wrth ymyl y corff, meddai.

Wrth iddo archwilio'r corff, canfu John Salisbury, llawfeddyg yng Nghonwy, fod rhai haels wedi mynd i mewn i asgwrn yr ysgwydd dde ac eraill i'r pen, y tu ôl i'r glust dde. Tynnodd amryw ohonynt allan o groen ac asgwrn y pen a chafwyd eu bod o'r un maint a phwysau â'r rhai a brynodd Margaret Jones ar ran Jack Swan yn siop Hughes. Ni chredai'r meddyg y gallai Jesse Roberts fod wedi ei saethu ei hun, meddai, hyd yn oed petai'r gwn wedi llithro o'i afael a ffrwydro wrth daro'n erbyn craig.

Rhoddodd William Hughes, Cwnstabl plwyf Caerhun, gyfrif o'r dillad y daethai o hyd iddynt mewn cist o dan y grisiau yn Swan. 'Roedd yno glogyn melfed llaes, gwasgod, dau drowsus, pâr o esgidiau a hances boced wedi'i gwthio i'r gwaelod, a gwaed ar ei chorneli. Sylwodd fod smotiau o waed y tu mewn i'r het Jim Cro wen a grogai ar hoelen uwchben y gist a bod crys newydd ei olchi ar ganllaw'r grisiau.

Tafarn y Tŷ Gwyn, Roe

Dau swyddog aeth o Gonwy, Ni fu rhai hyny fawr,
Cyn dal yr erchyll fradwr, A wnaeth y Mwrdwr mawr.
Cwest Crowner droes yn sydyn, Yw erbyn hyn sydd wir,
Cadd fyn'd i'r Gaol hyd Sessiwn Caernarfon cyn pen hir.[2]

Ddydd Mawrth, 26 Gorffennaf 1853, safai Jack bach Swan yn y doc yn wynebu'r Arglwydd John Campbell, un o brif swyddogion ei Mawrhydi o Lys Mainc y Frenhines yng Nghaernarfon a deuddeg o reithwyr, yn cynnwys tri drygist, dau ddilledydd, tafarnwr, gwerthwr hetiau ac argraffydd.

I'r Sessiwn daeth y tystion, Mor llwyrion yn eu lle,
Fel lingc mewn lingc mewn cadwyn, Bawb yn ei erbyn E'.
Lle'r ydoedd iawn dystiolaeth, Ysywaeth mater syn
Gwnai'r Jury benderfyniad, Iawn eglurhad ar hyn.[2]

Ond nid oedd pawb yn erbyn Jack. Er bod dau erlynydd, y Meistri Welsby ac Osborne Morgan, yr oedd Mr. McIntyre yno i geisio'i amddiffyn a haerai *Y Cymro: Newyddiadur y Dywysogaeth* fod aelodau'r cyhoedd, a oedd yn bresennol yn y Llys, yn arbennig y boneddigesau, yn dangos cydymdeimlad dwys â'r carcharor drwy gydol yr ymholiad. Wedi'r cyfan, 'doedd o fawr o beth i gyd, ei lygaid wedi suddo yn ei ben a thynerwch ei wyneb yn peri iddo ymddangos yn llednais a diniwed. Plediodd yn ddieuog wedi i Mr. Powell, y cyfieithydd, egluro'r cyhuddiad iddo. Ar y dechrau, gwibiai'r llygaid tywyll hwnt ac yma, ond fel yr âi'r achos rhagddo, trodd ei olygon at y nenfwd a bu'n sefyll yn yr un ystum ddiysgog am weddill y prawf. Parodd hynny i rai gredu ei fod yn ceisio rhoi'r argraff ei fod yn wallgof.

Pan ddeallodd yr Arglwydd Campbell fod gan y carcharor yr anfantais o fod yn drwm ei glyw yn ogystal â'r anfantais fawr o fethu deall Saesneg, dywedodd 'Er mwyn Duw, gadewch iddo glywed'. Mynnodd fod y tystion yn cael eu holi yn y bocs un ochr i'r doc a'r cyfieithydd yn cymryd ei le yn y bocs yr ochr arall, ac aeth pethau ymlaen yn weddol hwylus hyd at bedwar o'r gloch y prynhawn.

Tystiodd Henry Roberts, brawd Jesse, na roesai erioed fenthyg dim amgenach nag oriawr iddo ac na fu ganddo ef erioed bistol yn ei feddiant. Rhoddodd y gwehydd a'r cariwr, Magi ac Elizabeth, y tad trallodus a'r cymdogion gyfrif o symudiadau Jack, a haerai Mr Welsby y dylai'r ffeithiau a gyflwynwyd fodloni'r rheithgor y tu hwnt i bob amheuaeth.

'Roedd y Roe, gyda'i ddeg ar hugain o dai annedd, un capel ac ysgol Frytanaidd, yn dawelach nag arfer y dydd Mawrth hwnnw o Orffennaf, y tystion wedi eu galw i Gaernarfon, y plant wedi sobreiddio drwyddynt, a'r rhai hŷn, wrth ddilyn eu gorchwylion, yn ail-fyw arswyd y gyflafan farbaraidd a dorrodd ar heddwch eu cymdogaeth. Drwy gydol y dydd, bu Ellen Roberts, Swan, yn casglu gwsberis, i'w gwerthu yng Nghonwy drannoeth.

Gwnaeth Mr. McIntyre ei orau glas i geisio profi mai'n ddamweiniol y saethwyd Jesse Roberts. Mynnai na chafwyd yr un prawf pendant ac mai tyst-iolaeth anuniongyrchol oedd y cyfan. Bu symudiadau'r carcharor yn rhai cwbwl agored ac ni cheisiodd guddio'r dryll o olwg neb. Ni roddai yntau unrhyw goel ar stori Jack. Wedi moedro yn ei ddychryn yr oedd, meddai. 'Roedd yn eithaf posibl fod Jesse, wrth redeg, wedi baglu a tharo'n erbyn John Roberts a bod y gwn wedi tanio'n ddamweiniol. O weld fod Jesse Roberts yn farw ac na fyddai ganddo ddefnydd i'r oriawr mwyach, cafodd ei demtio i'w chymryd oddi arno. Pan oedd ar ei ffordd i lawr o'r mynydd, fodd bynnag, syl-weddolodd y gallai hynny fod yn brawf yn ei erbyn a phenderfynodd gael gwared â'r oriawr ar y cyfle cyntaf. Pwysleisiodd yr amddiffynnydd mai cyd-wybod lleidr yn hytrach na chydwybod llofrudd a barodd i John Roberts adael y pentref heb hysbysu'r tad o farwolaeth ei fab. Meddai wrth y rheithgor: 'Unwaith y mae dyn yn cael ei amddifadu o'i fywyd nid oes gan yr un ohonoch y gallu i adfer y bywyd hwnnw. Rhaid i chwi felly fod yn gwbl sicr, heb arlliw o amheuaeth, fod y carcharor yn euog'.

Ond ni lwyddodd Mr. McIntyre i'w hargyhoeddi. Wyth munud yn unig a gymerodd y rheithgor i benderfynu fod John Roberts yn euog o lofruddiaeth. Gwisgodd y Barnwr Campbell ei gap du i draddodi'r ddedfryd a gwnaeth Mr. Powell yn siŵr fod Jack yn deall pob gair fel y gallai, mewn iawn bryd, geisio cymod â'r Duw y bu mor ddifraw'n ei gylch:

John Roberts — cafwyd chwi yn euog gan reithwyr o'ch cyd-wladwyr o'r trosedd o Lofruddiaeth Gwirfoddol, ar dystiolaeth eglur. Yr oedd yn amhosibl i'r rheithwyr ddychwelyd unrhyw reithfarn arall, a gwneud eu dyletswydd. Y mae yn wir eich bod wedi hudo y gŵr ieuanc i fan dirgel ar y mynydd, gan fwriadu dwyn ei fywyd oddi arno, trwy gyflawni un o'r llofruddiadau mwyaf barbaraidd a gyflawnwyd erioed. Ni wnaeth Jesse Roberts erioed unrhyw niwed i chwi, ac heb unrhyw demtasiwn, o'r braidd, anfonasoch ef o'r byd hwn ym mlodau ei ddyddiau. Nid oes gennyf ond eich rhybuddio i ymbaratoi gogyfer â'r cyfnewidiad mawr sydd o'ch blaen. Nid oes yr un gobaith am drugaredd i chwi yn y byd hwn. Rhaid i chwi baratoi, trwy edifeirwch, i gyfarfod â'ch Duw.

Er i hyn effeithio'n fawr ar y Barnwr a'r rhai oedd yn y llys, ni ddangosodd Jack unrhyw gyffro, ac er bod llygaid pawb arno yr oedd ei lygaid ef wedi eu hoelio ar y nenfwd fel pe'n hollol ddifater.

Y noson honno, cyndyn iawn oedd pob un o wŷr y Roe o fynd i alw ar Ellen Roberts. 'Roedd yr hen wraig wedi noswylio, ond gadawsai'r drws yn agored er mwyn cael gwybod tynged Jack. Wedi peth dadlau, mentrodd un gŵr dewr i mewn i'r Swan.

'Pwy sydd 'na?' galwodd yr hen wraig. 'Oes 'na ryw newydd?'

'Oes, Ellen Roberts,' atebodd yntau. 'Mae arna i ofn fod Jack bach i gael 'i golli.'

Trodd yr hen wraig at ei merch, a oedd yn rhannu'r gwely, ac meddai yn ei dychryn,

'Duw mawr, Pegi, be wna' i â'r gwsberis?'

Erbyn iddo gyrraedd carchar Caernarfon, 'roedd y carcharor difater wedi cael cyfle i sylweddoli difrifwch ei sefyllfa. ''Do'n i ddim yn disgwyl hyn,' meddai. Galwodd am y Caplan, y Parchedig Thomas Thomas, M.A., ac er i hwnnw geisio'i dawelu bu'n griddfan ac yn ymrwyfo am oriau, yn amlwg mewn trallod mawr.

Drannoeth, ceisiodd y Caplan, yr Uchel-siryf a'r cyfreithiwr, Llewelyn Turner, ei berswadio i wneud yn fawr o'r ychydig amser a oedd ganddo'n weddill, gan na fyddai gweddïau un a wadai'r gwir o unrhyw fudd. Ond er iddo gyfaddef wrth y Caplan yn ddiweddarach ar y dydd, a hynny mewn gwaed oer, ei fod wedi saethu Jesse Roberts yn fwriadol ac wedi dwyn ei oriawr, erbyn y dydd Sadwrn 'roedd gan Jack stori bur wahanol. William Evans, Penyfelin, oedd wedi cynllwynio'r cyfan, meddai, er mwyn i'w fab gael lle Jesse yn yr ysgol. 'Roedd wedi rhoi benthyg ei wn iddo, gan awgrymu mai Cerrig y Pryfaid fyddai'r man gorau i gyflawni'r weithred, ac wedi talu tri swllt ar hugain iddo.

Y dydd Llun canlynol, anfonwyd heddgeidwad i Benyfelin i gymryd William Evans i'r ddalfa a galwyd yr ynadon ynghyd i'r carchar i wrando'r achos yn ei erbyn. Gwadodd yntau'r cyfan, gan ddweud ei fod yn hoff iawn o Jesse ac mai'r peth gwaethaf a wnaethai erioed oedd rhoi benthyg y gwn i John Roberts. Er i'w gyfreithiwr gynnig galw tystion i wrthbrofi'r cyhuddiadau, credai'r ynadon nad oedd angen hynny a dywedodd yr Arglwydd Newborough fod yn rhaid gollwng William Evans yn rhydd, gan ychwanegu ei fod yn gadael y lle heb y gwarthrudd lleiaf ar ei gymeriad.

Y ddeuddegfed adnod yn y bedwaredd bennod o lyfr y proffwyd Amos oedd testun y Parchedig T. Thomas yng nghapel y carchar ddydd Sul, y seithfed o Awst: 'Bydd barod i gyfarfod â'th Dduw'. Cafodd wrandawiad astud, yn arbennig gan y carcharor a eisteddai agosaf ato oherwydd ei fod yn drwm ei glyw, y condemniedig nad oedd ganddo ond tridiau'n weddill i'w baratoi ei hun.

Ond yn hytrach na manteisio ar hynny, tua deg o'r gloch yr un noson llwyddodd Jack i gael caniatâd y ceidwad, James Walker, i adael ei gell, drwy gwyno ei fod yn dioddef o ddolur rhydd. Wedi cael ei gefn, aeth i lawr y grisiau a chuddio y tu ôl i ddrws ystafell y ceidwad. 'Roedd wedi paratoi'n fanwl ar gyfer ei ddihangfa, ei grys a'i gôt a'i hances boced o dan ei fraich, ei het am ei ben a'i esgidiau yn ei law. Gan dybio iddo glywed sŵn, dychwelodd y ceidwad ar unwaith, ac wedi cael y gell yn wag, rhuthrodd i lawr y grisiau. Ceisiodd Jack gloi'r drws yn ei erbyn, ond cyn iddo allu gwneud hynny 'roedd dwylo nerthol Walker yn cau am ei wddw. Yn ystod yr ymrafael, syrthiodd y gloch law a gedwid ar silff y ffenestr o ddwylo'r carcharor. Gallai un ergyd â'r gloch chwe phwys honno fod wedi llorio unrhyw un. Ond er i Jack frwydro â'i holl egni gallodd Walker ei lusgo i'r iard a rhoi'r larwm i alw am gymorth. Er iddo erfyn ar y ceidwad i gadw'r peth yn dawel, rhoddodd hwnnw gyfrif manwl o'r ymdrech i ddianc i Mr. Dickson, a gorchmynnodd y Rheolwr i ddau geidwad gadw gwyliadwriaeth fanwl ar y carcharor ddydd a nos o hynny ymlaen.

Tridiau digon anesmwyth a gafodd Walker, gyda Jack yn gwgu arno ac yn gwneud ati i fod yn anfoesgar a bygythiol. Dywedai rhai fod y carcharor wedi cael gafael ar raff a'i fod yn bwriadu ei grogi ei hun petai'r ymdrech i ffoi yn aflwyddiannus, ond gan nad oedd y rhaff honno'n ddim mwy na darn o linyn digon aneffeithiol ni roddwyd fawr o goel ar y stori.

Profwyd bod yr ynadon yn llygad eu lle wrth beidio â rhoi coel ar y stori am gynllwyn William Evans, hefyd, oherwydd ar y dydd Mawrth cyfaddefodd Jack yn ei ddagrau, o dan bwysau, mai celwydd oedd y cyfan. Y Caplan a Mr. Wright, boneddwr o Fanceinion a oedd yn enwog am ei ddyngarwch, a lwyddodd i'w argyhoeddi na allai fynd i dragwyddoldeb â chelwydd yn ei law dde. Wedi gwylltio yr oedd, meddai, am fod William Evans wedi tystio'n ei erbyn yn y llys. Clywsai fel y bu i ddyn a saethodd Evan Thomas, pregethwr ymneilltuol yn ymyl Cricieth flynyddoedd ynghynt, ffoi i'r Amerig. 'Roedd perthynas i Evan Thomas, yn ôl yr hanes, wedi cyflogi'r dyn i gyflawni'r weithred ac wedi talu'n hael iddo. Ond neidio o'r badell ffrio i'r tân fu hanes y dyn hwnnw, ac fe'i dienyddwyd yn yr Amerig am ryw drosedd neu'i gilydd. Yn ystod ei funudau olaf, cyfaddefodd iddo lofruddio'r pregethwr. Mynnai Jack mai gobaith am estyniad oes a barodd iddo lunio'r cyhuddiad yn erbyn William Evans. Ychwanegodd mai ei fwriad wrth ladd Jesse Roberts oedd cael meddiant o'r oriawr a'i fod wedi meddwl am hynny tua hanner y ffordd i fyny'r mynydd.

Dychwelodd y Caplan a Mr. Wright i fod yn gwmni i'r carcharor rhwng chwech ac wyth o'r gloch fore trannoeth a bu'r ddau'n gweddïo ac yn darllen rhannau o'r Ysgrythur. Dywedodd Jack wrthynt iddo gael gwared â baich mawr oddi ar ei feddwl pan gyffesodd mai anwiredd oedd y cyhuddiad yn erbyn William Evans. 'Roedd am i'w holl gydwladwyr wybod mai torri'r Sabath, cadw cwmni â rhai segur a diddaioni a herwhela oedd yn gyfrifol am ei yrfa ddrygionus. Petai wedi talu cymaint o sylw i'w Feibl ac i gynghorion ei fam ag a roesai i'w wn ni fyddai wedi ei gael ei hun yn y fath sefyllfa druenus. Gweddïodd yn ddifrifol am faddeuant a diolchodd i holl swyddogion y carchar, yn cynnwys Walker, am eu caredigrwydd tuag ato.

> Diystyrais i y Bibl a'i ddeddfau oll i gyd,
> Heb feddwl fod im' enaid i fyn'd i'r bythol fyd,
> Gan feddwi ar Sabbathau, a dilyn ar bob drwg,
> Am hyn 'rwy eto'n ofni ca'i ddyoddef gwaethaf gwg.
>
> Am hyn erfyniaf arnoch rhoi rhybudd i bob rhai,
> I ddilyn y tai cyrddau, ac hefyd ysgol-dai,
> A dysgu y gorchymynion, a dilyn deddfau Duw —
> O achos esgeulusdod 'rwy'n siampl dynolryw.[3]

Dylifodd pobl wrth eu miloedd i Gaernarfon y dydd Mercher hwnnw o Awst. O bedwar o'r gloch y bore 'roedd y ffyrdd a arweiniai i'r dref o Fangor, Llanberis, Beddgelert a Phwllheli yn heidio o deithwyr ac afon Menai wedi ei gorchuddio â chychod a llongau, pob un mewn perygl o suddo o dan bwysau'r gwylwyr eiddgar. Oherwydd y llanw isel, yr oedd y tywod rhwng yr afon a'r culfor yn sych a manteisiodd rhai cannoedd o wylwyr ar hynny. Safai eraill yr ochr arall i'r afon ac yng Nghoed Helen.

Codwyd y crocbren mewn bwlch o chwe throedfedd rhwng mur y carchar a mur y dref. Cyfran fechan yn unig o'r deng mil a fu'n llygad-dyst o'r crogi, ond llwyddodd nifer i gael mynediad i'r buarth islaw drwy dalu swllt yr un.

> Holl seiri tref Caernarfon, rhaid dweyd y gwir ar go'dd
> Ni wnai y rhain mo'r groegbren, am arian mewn un modd.
> Dieithriaid oedd y seiri a'i gwnaeth cawn nodi yn awr,
> A dienyddwr cywrain, o Loegr daeth i lawr. [2]

Mae'n bur debyg mai Calcraft oedd y crogwr, er bod y *Carnarvon and Denbigh Herald* yn haeru i'w enw gael ei gadw'n gyfrinach. Credid ei fod yn dod o Gaerefrog. 'Roedd yn fachgen golygus, tyner yr olwg, a'r un oed yn union â Jack bach. Cyrhaeddodd y carchar ar y nos Fawrth a threuliodd ei oriau hamdden yn darllen llyfr dan y teitl *The Wide, Wide World*.

Am wyth o'r gloch, darllenodd y Caplan gyfran o'r gwasanaeth claddedigaeth yn y gell, gyda Jack yn gweddïo'n ddwys. Gallod gerdded, heb ei gynnal, o'r gell i'r esgynlawr, ond pan welodd y dienyddwr, ei wyneb wedi'i orchuddio â llen ddu, daeth newid mawr drosto. Dechreuodd ei lygaid felltennu ac edrychai fel ofn wedi ei bersonoli.

> Pan welodd John y dienyddwr,
>   Dirfawr gyfnewidiad ddaeth
> Yn ngolygfa ei wynebpryd,
>   Dyma benyd cyflwr caeth;
> Poenau dychryn yn ei fynwes,
>   Saethau Suddas dan ei fron,
> Ar geulanau tragwyddoldeb,
>   Mewn anhwyldeb, dirfawr don. [4]

Mewn llyfryn a gyhoeddwyd gan Thomas Jones Evans, Terrace, Caernarfon, rhoddir disgrifiad iasoer o'r awr olaf:

Dim ond awr! ac yn yr awr hon gwnaed ei ddwylaw yn rhwym gan y dienyddwr—y Caplan Parchedig yn ei rybuddio fel cenad y Nefoedd i edifarhau—y meddwl yn gwibio ac yn ansefydlog—pob gobaith wedi darfod—arweinir ef at y pren dioddef, ac mewn moment hyrddir ef o fyd amser i fyd mawr yr ysbrydoedd i sefyll yn enaid noeth o flaen Barnwr Cyfiawn 'na wna gam â gŵr yn ei fater' yn ngwyddfod miloedd o edrychwyr, lle dangosid teimlad at yr adyn annedwydd, gan fod amgylchiadau o'r fath yn bur ddieithr i Ogledd Cymru; a byth meddwn na bo i'r fath olygfa ddychrynllyd lychwino ein gwlad.

Ychydig funudau wedi i Jack ddringo'r esgynlawr gofynnodd Mr. Wright iddo a oedd ganddo unrhyw gysylltiad â throsedd arall o'r un natur ac atebodd yntau ei fod wedi cyffesu'r cyfan. Wedi iddo rybuddio'r dyrfa i beidio â dilyn ei esiampl, fe'i gwelwyd yn ysgwyd llaw â'r Caplan ac yn cyfnewid cusan â Mr. Wright.

Am ugain munud wedi wyth, rhwygwyd yr awyr gan sgrechiadau'r merched a chwynfan dolefus y dynion. 'Roedd yn amlwg fod yr amgylchiad wedi effeithio'n fawr ar y dienyddwr a gadawodd y dref yn fuan wedyn, heb i neb sylwi arno. Ond gwnaeth nifer helaeth o'r ymwelwyr yn fawr o'u diwrnod gŵyl ac erbyn y nos 'roedd amryw ohonynt yn fwystfilaidd o feddw. Bu cannoedd yn ymweld â thafarn y George i weld y gwn y rhoesai William Evans ei fenthyg i Jack Swan, heb fawr feddwl beth fyddai canlyniad y gymwynas honno.

Awr yn ddiweddarach, tynnwyd y corff i lawr a'i roi mewn arch, ond heb y calch arferol. Fe'i claddwyd yn iard y carchar yng ngŵydd y swyddogion, y Siryf a Mr. Wright a darllenodd y Caplan rannau clo'r gwasanaeth claddu. Ymron i bedwar ugain mlynedd yn ddiweddarach, codwyd yr ychydig weddillion a'u hailgladdu ym mynwent Llanbeblig drymder nos, ac ni cheir dim i nodi'r fan.

Ond ym mynwent eglwys Sant Celynnin, ar y ffordd o'r Rowen i Tynygroes, ceir carreg i gofio am 'Elizabeth Roberts, priod Robert Roberts, Parciau, yr hon a fu farw Mawrth 7, 1852, yn 56 mlwydd oed, a'r dywededig Robert Roberts a fu farw Mehefin 27ain, 1877 yn 88 mlwydd oed'. A rhyngddynt ceir y cofnod hwn:

Hefyd eu Mab Jesse yr hwn oedd
Bupil Teacher yn Ysgol Frytanaidd
Roe Wen ac a fu farw trwy lofruddiaeth
yn Ngherrig y Pryfaid Mai 2, 1853.

Yn y *North Wales Chronicle,* 30 Gorffennaf, 1853, cyfeirir at lofruddiaeth cipar ger Abergele flwyddyn ynghynt. Ni chafwyd hyd i'r llofrudd, ond 'roedd si ar led fod John Roberts, y Roe, yn gweithio ar y pryd, gyda dau ddyn arall, yn agos i'r fan lle y cyflawnwyd y llofruddiaeth, a'i fod wedi gadael cartref ei wraig, yn y gymdogaeth honno, yn fuan iawn wedyn. Haerai'r *Chronicle* iddynt glywed i'r ddau ddyn y cyfeiriwyd atynt adael y wlad yn union wedi i

Carreg fedd Jesse ym mynwent eglwys Sant Celynnin

John Roberts gael ei gymryd i'r ddalfa ar y trydydd o Fai. Y si honno, mae'n debyg, a flinai Mr. Wright yn ystod y munudau olaf ar esgynlawr y crocbren.

Yn yr un papur mynnai'r golygydd nad oedd gan y Llywodraeth hawl i gymryd bywyd yr un dyn na'r awdurdod, yn ôl yr Efengyl, i weinyddu'r gosb eithaf. Petai'r deddfwyr, meddai, yn dymuno argyhoeddi'r cyhoedd o gysegredigrwydd bywyd, byddent yn diswyddo'r crogwr ac yn ystyried amgenach dull o wneud hynny.

Yn dilyn dienyddiad Jack Swan, bu llythyru brwd i'r wasg. Cythruddwyd R.B.J. yn arw gan yr honiad a ymddangosodd yn *Y Cymro* fod Jack wedi cael ei ddwyn i fyny gan ei fam mewn ymlyniad manwl gyda'r Methodistiaid Calfinaidd, iddo fod yn aelod o'r seiat ac yn perthyn i'r Ysgol Sul nes ei fod yn bedair ar ddeg oed, a'i fod hefyd wedi bod yn gymunwr gyda'r Wesleaid am flwyddyn. Mewn ateb i haeriad R.B.J. na fu John Roberts erioed yn aelod gyda'r Methodistiaid Calfinaidd na'r Wesleaid, dywedodd y golygydd mai o'r *North Wales Chronicle* y cawsent yr wybodaeth a galwodd ar y llythyrwr i brofi ei bwynt.

Mewn llythyr a ymddangosodd ar Fedi'r nawfed, cyfeiriodd Morris Jones, Llanllechid, at y sgwrs a gawsai ag Ellen Roberts ddiwedd Awst. Bu'r hen wraig, meddai, yn perthyn i'r Methodistiaid ers llawer o flynyddoedd a chafodd John ei ddwyn i fyny, pan oedd yn fachgen, yn y seiat. Cofiai, hefyd, i rywun ddweud wrthi iddo fod yn aelod gyda'r Wesleaid wedi hynny. 'Roedd tad y plant yn ddyn croes iawn ac yn flin wrthi am fynd i'r seiat a rhoddodd hithau'r gorau i fynd. Wedi ei farw, nid aeth yn ôl yno am rai blynyddoedd. Beirniadodd Morris Jones y Methodistiaid yn llym am beidio â dysgu Gweddi'r Arglwydd i'r plant. Pan aed â Jack i'r carchar ni allai adrodd y weddi ac ni wyddai sawl gorchymyn oedd yn y ddeddf. 'Roedd plant yr Eglwys *yn* eu gwybod, meddai.

Rhoddodd R.B.J. ei bin ar bapur unwaith eto i ddweud nad oedd gan y Wesleaid yr un capel yn y Roe na'r gymdogaeth ac na fu John Roberts *erioed* yn perthyn iddynt hwy. Er iddo, tra bu'n gwasanaethu am dymor byr yng nghymdogaeth Eglwysbach, fod yng nghapel y Wesleaid rai troeon, ni fu'n aelod yno am wythnos, heb sôn am flwyddyn. Ychwanegodd fod Gweddi'r Arglwydd yn cael ei gweddïo ym mhob addoliad a gynhelid gan y Wesleaid.

Yr un mis, mynnodd Thomas Thomas, Ficer Llanbeblig a Chaplan y carchar, na fu iddo ef na neb arall weinyddu Swper yr Arglwydd i John Roberts ac mai'r Parchedig John Jones, Talysarn, Llanllyfni oedd wedi haeru hynny'n gyhoeddus ar ei bregeth. Er i'r Parchedig wadu hynny, cadarnhaodd 'Casawr Celwydd' yn ei lythyr iddo'i glywed, yn ystod y bregeth a draddododd yng Nghapel Moriah, Caernarfon, nos Sul, y pedwerydd o Fedi, yn cyfeirio at y dirmyg o weinyddu'r swper ordinhad i John Roberts.

Wyneb-ddalen baled Ywain Meirion

Daeth y llythyru i ben yn ystod mis Hydref, gyda llythyr wedi ei arwyddo gan naw o ddynion dros ddeugain oed, colofnau achos y Methodistiaid Calfinaidd ym mhentref y Roe. Ni fu Jack, meddent, erioed yn y Seiat nac yn dod i'r Ysgol Sul ond ar ei dro fel dyn dieithr, a hynny am ychydig Suliau. Gwnaed ymdrech lawer gwaith, ond yn ofer. Yr oeddynt yn gyndyn iawn o dderbyn Ellen Roberts yn ôl i'r Seiat, gan ei bod yn byw mor bell oddi wrth reol y Gair. Erbyn hyn, yr oeddynt wedi gorfod ymwrthod â hi yn hollol.

Efallai y byddai wedi bod o fudd i'r naw graffu ar un pennill o faled Ywain Meirion:

> Gochelwn nodi feiau i'w berthynasau'n awr,
> Dioddefodd gosb haeddiannol anferthol ddedfryd fawr.
> Mewn doniau gras cydunwn, a chofiwn hyn drachefn
> 'Does neb all gario'n drwyadl, fai'i genedl ar ei gefn. [2]

Cofrestrwyd Cerrig y Pryfaid fel heneb ac fe'i estynnwyd i'r gorllewin o'r cylch cerrig gan Cadw yn 1989 er mwyn sicrhau ei fod yn cael ei amddiffyn yn briodol. I fyny yno yn yr anialdir, lle mae amser fel petai wedi aros a'r can-rifoedd ond megis diwrnod, yr enillodd John Roberts ryw fath o anfarwoldeb iddo'i hun. Mae'i enw'n dal yn fyw yn y Rowen a'r gymdogaeth heddiw, ac mae rhai o drigolion hynaf y pentref yn cofio aelodau'r teulu — Elin, a aned yn 1845 yn ferch i Margaret (Pegi), chwaer Jack, a'i gŵr Owen Jones, y crydd, Marged Elin a Tomi Swan. 'Roedd Owen Jones yn flaenor yn y capel bach, a'r un emyn a fyddai'n ei ledio bob amser:

> 'Dros y bryniau tywyll niwlog,
>   Yn dawel, f'enaid, edrych draw . . .'

Ni chafodd y disgybl athro un ar bymtheg oed fyw i weld yr heulwen yn tywynnu ar 'ryw ddyddiau braf gerllaw'. Daeth ei yrfa addawol i ben ar y 'bryniau tywyll, niwlog' y noson honno o Fai pan fu i Jack bach Swan, na allai dorri ei enw ei hun hyd yn oed, gael ei demtio i droi'n llofrudd oherwydd oriawr fenthyg.

NODIADAU

[1] Cân Newydd yn rhoddi Hanes am Lofruddiad Jesse Roberts gan John Roberts, o'r un Pentref: Rhydderch Mai

[2] Galar Gerdd, er gosod allan Hanes Llofruddiaeth Jesse Roberts: Ywain Meirion—Cenir ar 'Fryniau'r Iwerddon'

[3] Cân, er Galarus Goffadwriaeth am y Llofruddiaeth Echryslon: Richard Hughes — Ar y Dôn 'Bryniau'r Iwerddon'

[4] Cân, yn adrodd hanes Dienyddiad John Roberts, yng Nghaernarfon: Evan Griffith (Ieuan o Eifion) — Cenir ar 'Diniweidrwydd'

AMDO PRIODAS
Pierce Jones
1867

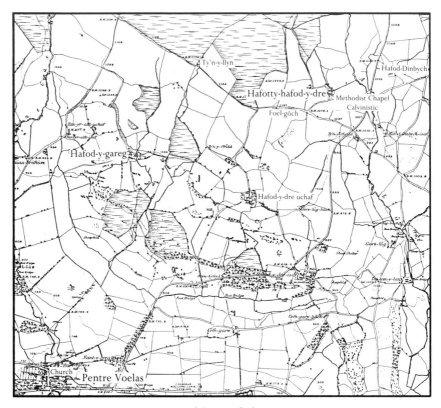

Ardal Pentrefoelas

Cafodd Pierce Jones, gwas ar fferm Hafod-y-gareg, ei herian yn ddidrugaredd gan fechgyn Pentrefoelas yn ystod mis Mawrth, 1867.

'Dyna ti wedi'i cholli hi,' medden nhw. 'Oes gen ti ddim cwilydd, dywed, yn gadel i un o bethe Llansannan dy redeg di? Mi fydde'n well o'r hanner iti fod wedi dod i'r Foelas hefo ni na mynd ar dy linie yng nghapel Glan'rafon.'

Ond ni chymerai John, gwas Hafotty-hafod-y-dre, unrhyw ran yn y cellwair. Bu'r bechgyn yn ei ben fwy nag unwaith, yn ceisio cael rhywfaint o hanes Pierce Jones. Mynnai yntau na wyddai fawr mwy na bod ei dad yn fugail, ac yn hwsmon i foneddwr o Sais rywle yng nghyffiniau Bodffari.

'Mae'n rhaid dy fod ti'n mynd o gwmpas a dy lygid ar gau, John bach,' meddai Dafydd Roberts, gwas Hafotty Ucha'. 'On'd wyt ti wedi bod yn gweithio ysgwydd yn ysgwydd hefo fo'n y Fotty am fisoedd, ac yn rhannu'r un llofft stabal.

''Roedden ni'n rhy brysur i fân siarad.'

'Mae gan bawb amser i sôn am gariadon, fachgen. Faint ydi'i oed o, dywed?'

'Pump ar hugen, medde fo.'

'Taw â deud! Mi ddylies i 'i fod o lawer hŷn. Mae hithe'n siŵr o fod dros 'i deg ar hugen bellach.'

''Roedd hi'n un ar ddeg ar hugen ar yr wythfed o'r mis.'

Hafotty-hafod-y-dre (yr hofel ar y dde)

65

Hafod-y-gareg (Y llofft stabl ar y chwith)

'Diawch erioed, mae bechgyn y pentre 'ma wedi bod yn llusgo'u traed yn arw. Ond chaiff yr hen Byrs mo Jane y Fotty, beth bynnag. Be aeth o'i le rhyngddyn nhw, tybed?'

'Be wn i.'

'Mi heria i di i ofyn iddo fo. 'Does gen ti mo'i ofn o, 'does bosib?'

Gwrthod y sialens a wnaeth John. Nid fod ganddo ofn, ond ni allai'n ei fyw gael o'i feddwl yr hyn ddwedodd Pyrs wrtho pan oedd wrthi'n aredig, rywdro ym mis Chwefror. P'run bynnag, nid oedd ganddo ddiddcrdeb yn helyntion caru neb arall na fawr o flys trafod aelodau'i deulu ar goedd gwlad.

'Roedd Dafydd Jones, Hafotty-hafod-y-dre, yn hen ewythr i John, ac yn dad i'r ferch y rhoesai Pierce Jones ei fryd ar ei phriodi. Yn ogystal â ffermio'r tyddyn, byddai Dafydd Jones yn gwerthu hosanau o gwmpas y wlad, a châi ei adnabod fel dyn parchus a chymdogol. Gan fod gweddill y plant wedi gadael cartref, bu Jane o gysur mawr i'w rhieni pan fu Elizabeth, y chwaer ieuengaf, farw'n un ar hugain oed, yn 1860. 'Roedd hi hefyd yn aelod ffyddlon o Gapel Glan-yr-afon. Ac yn y capel hwnnw y cyhoeddwyd, 17 Mawrth, ei bod yn mynd i briodi Isaac Roberts, cigydd o Bantglas, Llansannan, ar y nawfed ar hugain o'r mis.

Dyn diarth oedd Pierce Jones. Er ei fod wedi gwneud ei gartref ym Mhentrefoelas ers pum mlynedd, ni wyddai neb fawr o'i hanes. Bu'n gweithio yn y Fotty o Fawrth, 1862 hyd at Dachwedd, 1866, ar wahân i un toriad yn '64. Nid oedd gan Dafydd Jones unrhyw gŵyn yn ei erbyn fel gweithiwr nac fel dyn, er iddynt gael ychydig o eiriau un dydd Gwener, y Tachwedd hwnnw, pan fynnai Pyrs gyfrwyo'r gaseg i fynd i dorri gwellt, yn erbyn ewyllys ei feistr. Y bore Llun canlynol, gofynnodd Pyrs am ei gyflog a symudodd i Hafod-y-gareg. Ond nid oedd unrhyw ddrwgdeimlad, ar ran Dafydd Jones beth bynnag. 'Mae croeso iti alw i mewn am fara a chaws pan fyddi di'n mynd heibio,' meddai.

Ac 'roedd o wedi galw, drannoeth y Nadolig. Roedd Dafydd, ac Ann ei wraig, wedi mynd i'r gwely a gadael Jane gyda'i chyfnither. Sbel yn ddiwedd-arach, clywodd y tad sŵn cythrwfl ac aeth i lawr i'r gegin. Dyna lle'r oedd Pierce Jones yn gwyro drwy'r ffenestr a'i ddwylo'n cau fel feis am freichiau Jane. Pan barodd Dafydd Jones iddo ei gollwng, ni wnaeth ond chwerthin yn ei wyneb. Mynnodd fod Jane wedi cytuno i'w briodi ond gwadu hynny a wnâi hi, gan ddweud nad oedd erioed wedi addo'r fath beth. Wedi iddo anfon ei ferch i'w gwely, ceisiodd y tad ymresymu â Phyrs a'i berswadio i fynd adref, ond bu'n oedi yno am yn agos i hanner awr, gan daflu sen ar gymeriad Jane. Nid oedd ddim gwell na phutain, meddai, ac fe gâi ei ddial arni hi ac ar y teulu.

Capel Glan-yr-afon

Ac am ryw oeraidd bethau,
  'Roedd Jane yn ei gashau,
Ac yntau a phob ymdrech,
  A'i serch oedd i'w boddhau;
Fe fagodd ryw elyniaeth,
  O fewn ei galon ef,
Pan glywodd fod dyn arall
  Yn well nag oedd efe. [1]

Y nos Sul y cyhoeddwyd y newydd yng Nglan-yr-afon, sylwodd Dafydd
Jones fod golwg gythryblus iawn ar Jane pan ddychwelodd o'r capel ac fe'i
clywodd yn crybwyll enw Pyrs. Efallai y dylai fod wedi gwrando ar gyngor
Doctor Davies ddwy flynedd yn ôl, a pheidio ag ailgyflogi'r gwas. Ond pa
reswm oedd ganddo dros wneud hynny ac yntau'n weithiwr mor ddiwyd? Ni
chawsai unrhyw drafferth efo'r bachgen, ar wahân i'r noson drannoeth y
Nadolig. Nid oedd wedi torri gair efo fo er hynny, er i John ddweud, ychydig
wythnosau ynghynt, iddo fod yn ddigon bygythiol pan glywodd fod Jane yn
mynd i briodi. Byddai'n dda ganddo gael y briodas drosodd, meddyliodd, a
gweld Jane yn setlo i lawr.
    Ond nid oedd hynny i fod.

Un bore oer gwlybyrog
  Ym Mhentrefoelas draw,
Pan ydoedd pawb yn dawel
  Drwy'r fro heb ofni braw,
Digwyddodd erch gyflafan
  Nes adsain drwy bob cwm
Am 'ddyn yn lladd ei gariad!'
  Och! dyna'r newydd trwm.

Pierce Jones oedd hoenddyn ieuangc
  Yn bump-ar-hugain oed,
Pan droes yn llofrudd benyw,
  Y fwynaf fu erioed;
Jane Jones, y ferch hawddgaraf,
  O'r Fotty ydoedd hi,
Ei lliwgar wedd a'i llygaid
  A'i rhinwedd oedd ei bri. [2]

Nos Lun, 25 Mawrth, cawsai'r bechgyn fwy o hwyl nag arfer ar blagio
Pierce Jones.

'Mae'n well iti ddechre chwilio am gariad newydd,' medden nhw. ''Does 'na ddim byd fedri di 'neud bellach.'

Ond yr oedd rhywbeth y gallai Pyrs ei wneud. Ac i'r perwyl hwnnw yr aeth i fyny am fferm Hafotty Ucha' yn hwyr yr un noson. Galwodd ar Dafydd Roberts, a oedd wedi mynd i glwydo, i ofyn a gâi gysgu efo fo.

'Cei, am wn i,' atebodd hwnnw. ''Does 'na ddim golwg fod William am ddod adre heno.'

Noson anghysurus iawn a gafodd Dafydd. 'Roedd Pyrs yn troi a throsi ac yn chwysu fel mochyn.

'Ma'r gwely 'ma'n damp,' cwynodd.

'Nac ydi ddim. 'Dydw i'n cysgu ynddo fo bob nos. Chdi sy'n aflonydd. Rho'r gore iddi, da chdi. Mi fydd raid imi godi at yr hen fuwch 'na toc.'

Tua dau o'r gloch 'roedd Pyrs wedi deffro Ifan Davies, a gysgai yn y gwely arall, gan fynnu ei bod hi'n ddydd. Edrychodd Ifan ar ei oriawr.

'Dim ond pum munud i ddau ydi hi,' meddai. 'Gole lleuad ydi hwnna'r twpsyn.'

Wrth iddo geisio'i setlo'i hun yn ôl i gysgu, clywodd Pyrs yn dweud, 'Mae 'na beder awr arall i fynd'.

'Roedd yn dda calon gan Dafydd ei weld yn gadael tua hanner awr wedi pedwar. Siawns na châi ryw awr a hanner o gwsg, meddyliodd, cyn gorfod dechrau ar waith y diwrnod. Nid oedd ganddo fawr o syniad i ble'r oedd Pyrs yn cychwyn mor fore, na diddordeb chwaith.

Tra oedd Dafydd yn ceisio ailafael yn ei gyntun, 'roedd Pierce Jones yn cerdded yr hanner milltir ar draws y caeau am y Fotty. Wedi cyrraedd yno, bu'n cysgodi yn yr hofel am dros awr yn aros i ddrws y ffermdy agor. Gwyddai, o brofiad, ei bod yn arferiad gan Jane godi o flaen ei rhieni a dod allan i'r buarth i alw'r gweision.

> Dydd Mawrth gwnaeth tad y ferch ei galw
> Am chwech o'r gloch y boreu hwnnw;
> Myn'd i Lanrwst 'roedd yn bwriadu,
> Gael prynu pethau at briodi.
>
> Ac yno'r ferch a godai'n fuan
> Er galw'r gwas a gysgai allan;
> Pwy ond Pearce wnaeth ei chyfarfod,
> A chyda ffon roes iddi ddyrnod. [3]

Rhedodd Jane i'r tŷ dan sgrechian a Pierce Jones yn ei dilyn.

> Yn ei hol pryd hyny rhedodd,
> Tu fewn i'r drws efe a'i daliodd,

A thorri ei gwddf a chyllell finiog
A wnaeth y llofrudd annrhugarog.[3]

Wrth i Jane geisio ymladd am ei bywyd, brathai llafn y gyllell y bu Pierce
Jones yn ei hogi am ddyddiau i'w chnawd.

Tynai'r gyllell ol a gwrthol
Trwy ei gwddwg yn frawychol;
'Roedd y clwyfau'n ddirifedi,
Mwy nag ugain archoll arni.

Rhedai'r gwaed fel ffrwd yr afon,
Nes yr oent yn llynoedd llawnion;
Hithau'n llefain am ei harbed
Nes i'w thad a'i mam ei chlywed.[4]

Dyna'r olygfa a welodd Dafydd Jones pan ruthrodd i lawr y grisiau yn ei grys
nos. Cythrodd am goler côt Pierce Jones. Wrth iddo geisio cael Jane yn rhydd
o'i afael, teimlodd fin cyllell yn torri i'w ddwylo. Erbyn hynny, 'roedd Ann
Jones wedi cyrraedd a thra oedd ei gŵr yn dal ei afael yn Pierce llwyddodd
hi i lusgo Jane ryw lathen i mewn i'r tŷ, a'i chodi ar ei thraed. Ond llithrodd
ei merch o'i dwylo a rhuthrodd Pierce arni unwaith eto gan daflu Ann Jones
o'r neilltu.

Yr oedd y fam mewn poen a dychryn
Wrth geisio cadw ei hanwyl blentyn,
Cafodd deimlo erchyll friwiau,
A thorodd ef un o'i hasenau.[3]

Rhedodd Dafydd Jones i fyny'r grisiau i newid o'i grys nos er mwyn mynd
i geisio help. Pan ddaeth John i'r tŷ, wedi clywed y gweiddi, gwelodd Jane ar
lawr, mewn llyn o waed. Daeth y llofrudd tuag ato a'r gyllell agored yn ei law.
'Wel, John,' meddai, 'mi ddeudis i wrthot ti lawer gwaith mai fel hyn y
byddai hi.'
Fel yr oedd Dafydd Jones yn dod i lawr y grisiau, daeth Pierce Jones i'w
gyfarfod gan ddweud ei fod wedi ei rybuddio y câi ei ddial ar Jane.
'Fyddwn i ddim yn meindio gneud yr un peth hefo chithe,' meddai.
'Ond Pyrs bach annwyl,' erfyniodd Dafydd, ''ryden ni wedi bod yn ffrindie.
Wyddwn i ddim fod unrhyw achos am beth fel hyn.'
Estynnodd Pierce law waedlyd allan a dweud, 'Wel, gan i chi siarad mor
garedig, mi ysgydwa i law hefo chi.'

Ni cha'dd tad y ferch ddim llonydd
Heb iddo ysgwyd llaw a'r llofrudd,
Er fod hyn yn groes i anian—
Rhoi llaw yng ngwaed ei ferch ei hunan. [3]

Dilynodd Dafydd Jones i'r stabl, a thra oedd ei feistr yn cyfrwyo'r gaseg dywedodd ei fod am ei roi ei hun i fyny i'r heddgeidwaid.

'Mi ga' i gyfiawnder ganddyn nhw na che's i mohono ganddoch chi,' meddai.

Ar ei ffordd i fferm Hafod-Dinbych, galwodd Dafydd Jones yng Nglan-yr-afon, ryw ganllath a hanner o'r Fotty, i ofyn i Ellen Davies fynd at Ann, gan fod Pierce Jones yn ceisio lladd Jane. Pan aeth Ellen Davies i fyny yno, cafodd y ferch yn gorff a'r fam mewn cyflwr truenus. 'Roedd John y gwas yn Hafod-Dinbych pan gyrhaeddodd ei feistr ac anfonwyd un o'r gweision i'r pentref i nôl yr heddgeidwad Robert Williams.

Nid anghofiai ef byth mo'r olygfa a welodd pan ddaeth i fyny i'r Fotty.

'Roedd corph y lodes hynod hono
  Wedi ei ddryllio'n ddrwg ei drefn,
A'r pen yn hollol rydd oddiwrtho,
  A thorodd ran o'r asgwrn cefn;
'Does neb yn cofio gwel'd fath friwiau,
  'Roedd archolliadau ar bron bob lle,
A wnaeth a'r gyllell lem aflawen —
  Ofnadwy filain oedd efe. [5]

Gorweddai'r fam mewn cornel, yn sgrechian ac oernadu, gan bwyntio at gorff ei merch. Wedi iddo daenu cynfas dros y corff a pheri i Ellen Davies fynd ag Ann Jones i ystafell arall, cychwynnodd Robert Williams ar drywydd y llofrudd.

Yn y cyfamser, ar ei daith i lawr i'r pentref, galwodd Pierce Jones heibio i dri ffermdy. Yn Foel-goch, daeth at ffenestr y siambar a galw ar Ifan Roberts, 'Codwch i fyny mewn munud, Ifan, ac ewch draw i'r Hafotty. 'Rydw i wedi lladd Jane.'

'Peidiwch â deud anwiredd, Pierce,' atebodd yntau.

'Do wir, do wir,' mynnodd Pierce. ''Drychwch ar fy nwylo i.'

Ond ni allai Ifan Roberts weld dim gan fod paenau'r ffenestr yn bŵl, a chyn iddo allu holi ymhellach 'roedd Pierce Jones wedi diflannu.

Yn Nhy'n-y-llyn, parodd i William Jones godi o'i wely.

'Paid â deud dy gelwydd, Pyrs,' meddai hwnnw, pan ddywedodd ei fod wedi lladd Jane.

71

'Do, dyna'r gwir iti.'

'A sut gnest ti hynny, dywed?'

'Torri'i gwddw hi efo cyllell, William. Dyma hi iti.'

Cyn gadael, gofynnodd am ddŵr i olchi ei ddwylo a'i wyneb rhag ofn i bobl Hafod-y-gareg ddychryn wrth weld gwaed arno.

Yno, aeth i'r stabal a gofyn i Morris Jones, un o'r gweision, fynd i'r tŷ i nôl ei gyflog.

'Dos i'w nôl o dy hun,' meddai hwnnw. 'Lle wyt ti wedi bod yn hel dy draed, p'run bynnag?'

Dangosodd Pyrs y staen tywyll ar ei drowsus.

'Be ddyliet ti ydi hwn?' holodd. 'Gwaed Jane y Fotty, dyna beth ydi o. 'Rydw i wedi'i lladd hi wel'di, hefo'r gyllell 'ma. Mi gwelest ti fi'n 'i hogi hi am ddyddie, yn do?'

Gadael heb ei gyflog a wnaeth Pierce Jones, a gorffen ei daith yng nghartref yr heddgeidwad Robert Williams ym Mhentrefoelas. 'Roedd Rebecca Williams ei hun yn y tŷ, gan fod ei gŵr yn prysur ddilyn trywydd y llofrudd ar draws gwlad. Gofynnodd Pierce iddi anfon am Robert Davies, y crydd, gan fod arno arian iddo.

Pan arweiniodd Rebecca ef i'r tŷ, dechreuodd grio.

'Ydech chi mewn rhyw drwbwl, Pierce Jones?' holodd.

'Ydw, trwbwl mawr. 'Rydw i wedi'i lladd hi.'

'O'r annwyl! Lladd pwy, deudwch?'

''Y nghariad, Jane Jones, Hafotty.'

Dywedodd fel yr oedd wedi aros amdani yn yr hofel, ei tharo â ffon las onnen drom, a'i dilyn i'r tŷ.

'Ond peth rhyfedd na fydde rhywun wedi dod yno i geisio'i harbed hi,' meddai hithau.

'Fe dreiodd yr hen bobol 'u gore, ond 'ro'n i'n rhy gry' iddyn nhw. Yn 'y meddwl i mae'r gwendid, Mrs Williams fach.'

'Ond be barodd i chi 'neud y fath beth, Pierce Jones?'

''Y ngwrthod i ddaru hi . . . 'y ngwawdio i a throi 'i chefn arna' i. Fe ddaru fynd â goriad y gist oddi arna i a dwyn y llythyre oedd hi wedi'u sgrifennu ata i a rhoi papur gwyn plaen yn 'u lle. Ddyle hi ddim fod wedi gneud hynny, yn na ddyle?'

'Ond 'doedd hynny ddim yn rheswm dros 'i lladd hi.'

'Mi ddeudes i wrth y John 'na am adel iddyn nhw wybod y byddwn i'n cael 'y nial arni hi ac na fydde fiw iddi feddwl am briodi neb arall tra bydde gen i fraich dde wrth 'y nghorff. Ac mae'r hen fechgyn 'na wedi bod yn 'y mhen i ers dyddie, yn edliw 'y mod i wedi colli 'nghariad. Allwn i ddim diodde rhagor.'

Wrth iddo siarad, sylwodd Rebecca ar y gyllell a wasgai yn ei ddwrn.

72

'Hefo'r gyllell yna y daru chi'i lladd hi?' holodd.

'Ie, Mrs Williams.'

'Ydech chi'n siŵr 'i bod hi wedi marw?'

'O, ydw. Mi dorres i 'i gwddw hi fel hyn, ac fel hyn.' A dangos, â'i ystum, sut yr oedd wedi torri'r gwddw o glust i glust.

'Fydde'm gwell i chi roi'r gyllell yna i mi, i'w chadw?'

Rhoddodd Pierce Jones y gyllell iddi, heb unrhyw brotest.

'Mae cyfiawnder wedi'i wneud,' meddai. 'Ac rŵan 'rydw inne'n rhoi fy hun i fyny. Ydech chi'n meddwl y bydd Robert Williams yn gas wrtha i?'

'Fydd Robert byth yn gas hefo neb,' atebodd hithau.

Cyn i'r heddgeidwad gyrraedd, 'roedd Pierce Jones wedi bwyta pentwr o fara menyn ac yfed tair cwpanaid o de, a Rebecca wedi galw William Jones, y gof, a Robert Davies, a oedd hefyd yn gwnstabl y plwyf, i'r tŷ. Rhoddodd Rebecca Williams y gyllell i'r cwnstabl a thalodd Pierce y pymtheg swllt a chwech oedd arno am esgidiau. Pan ddaeth yr heddgeidwad i mewn, dechreuodd Pierce grio. Rhoddodd Robert Williams ei law ar ei ysgwydd, a dweud, ''Rydw i'n eich cymryd chi'n garcharor, Pierce Jones, o dan y cyhuddiad o lofruddio Jane Jones.'

'Ydi hi wedi marw?' holodd yntau.

'O, ydi, mae hi yn nhragwyddoldeb. Oes yna rywbeth ydech chi am 'i ddeud?'

'Nac oes, dim. 'Rydw i'n fy rhoi fy hun i fyny i chi. Ond mi fydde'n dda gen i pe baech chi'n peidio fy ngosod i mewn heyrn.'

Sicrhaodd Robert Williams ef na fyddai galw am hynny, ac aeth i'w ddanfon i loc-yp Cerrigydrudion. Wrth fynd heibio i gapel bach Glan-yr-afon, meddai Pierce Jones, 'Mae'n arw meddwl ein bod ni'n dau'n aelode o'r capel yma, a rŵan 'rydw i i golli 'mywyd o'i herwydd hi.'

> Ni cheisiodd wadu unwaith
> Nad ef y llofrudd oedd,
> Ei wisg a'i wedd ddangosai
> Yn amlwg hyn ar goedd;
> Rhagwelai ddydd y cyfrif,
> A d'wedai,—'Dyma fi!
> Caf yn y farn gyfiawnder
> Nas cefais ganddi hi.'[2]

I'r capel bach hwnnw yr aed â chorff Jane brynhawn Mawrth. Rhoddodd y meddyg Davies ei dystiolaeth gerbron E. Pierce, M.D., y Crwner, a gohiriwyd y trengholiad er mwyn cael holi'r tystion.

Gwesty'r Voelas Arms

Cynhaliwyd y trengholiad drannoeth, yng ngwesty'r Voelas Arms, Pentrefoelas. Gwisgai Pierce Jones yr un dillad â phan gafodd ei restio, a gwnâi'r farf ddu drwchus, yr wyneb gwelw a'r llygaid gwaedgoch iddo edrych yn fwy sarrug nag arfer. Cynghorodd y Crwner ef i gadw'n berffaith dawel, gan y gallai unrhyw air neu ystum gael ei ddwyn yn ei erbyn.

Tyst digon ansad oedd Dafydd Jones y Fotty, wedi cynhyrfu'n arw ac yn ei groes-ddweud ei hun ar adegau, ac ni allai Ann Jones, oherwydd ei chyflwr, fod yn bresennol yn y cwest. Ond yr oedd John, y gwas, yno a Dafydd Roberts, Hafotty Ucha', tenantiaid Foel-goch a Thy'n-y-llyn a gwas Hafod-y-gareg, i adrodd hanes cythryblus y nos Lun a'r bore Mawrth.

Canmolodd y Crwner Rebecca Williams am arbed llawer o gur pen iddo gyda'i thystiolaeth glir a deallus ac am y modd y deliodd â'r carcharor, heb neb i'w hamddiffyn. Dangoswyd toriad yng ngwefus Pierce Jones, a achoswyd gan ewinedd y ferch wrth iddi geisio brwydro am ei bywyd. Wedi i'r Crwner eu hannerch a'u sicrhau nad oedd angen iddynt ystyried ar hyn o bryd a oedd Pierce Jones yn dioddef o anhwylder meddwl pan gyflawnodd ei weithred, ni chymerodd y rheithgor ond hanner munud i benderfynu fod y carcharor yn euog o lofruddiaeth wirfoddol. Dywedodd yntau, mewn atebiad i gwestiwn y Crwner, nad oedd ganddo ddim i'w ddweud, ac fe'i hanfonwyd i garchar Rhuthun i aros ei brawf ym Mrawdlys Sir Ddinbych ddechrau Awst.

74

Wedi'r Cwest, i Garchar Rhuthyn,
   Dan yr heyrn yr aed ag ef,
Yno i aros dydd ei dreial,
   Dan gwmwl du dialedd gref;
Pan y derbyn gyfiawn ddedfryd,
   Am fyn'd a bywyd geneth gu,
Mewn eiddigedd cryf dideimlad,
   Un iddo'n gariad *gynt* a fu.[6]

Ar 29 Mawrth, ni allai eglwys Pentrefoelas gynnwys y dyrfa enfawr a ddaeth ynghyd i angladd Jane Jones, y Fotty. Darllenwyd y gwasanaeth yn y modd mwyaf effeithiol gan y Parchedig Owen Jones ac arweiniwyd yr orymdaith angladdol gan ddeuddeg o aelodau y *Female Friendly Society*, Ysbyty Ifan, cymdeithas yr oedd Jane yn aelod ohoni. Ni allai Ann Jones fod yno oherwydd ei bod yn dal mewn cyflwr peryglus, ond 'roedd Isaac Roberts, Llansannan, a oedd wedi gobeithio clymu cwlwm priodas yr union ddiwrnod hwnnw, ymysg y galarwyr.

Y'mhen y ddeuddydd wed'yn
   Disgwyliai Jane cai fod
Yn wraig, a'r fodrwy'n tystio
   I'r ardal faint ei chlod;
Y wisg briodas ydoedd
   Yn barod erbyn hyn;
Meddyliai'n gryf a ffyddiog
   Gael mwyniant y byd gwyn.

Ond O! mor chwith i hyny
   Ac O! mor chwerw fu,
Yn lle y wisg briodas
   Cadd amdo erch yn dy!
Ei hyrddio i dragwyddoldeb
   I wydd ei Barnwr mawr;
Heb funud bach o rybudd,
   Mor wael yw plant y llawr![2]

Fe'i claddwyd ym mynwent yr eglwys, yn yr un bedd â'i chwaer, Elizabeth.

O mor drwm oedd gwel'd ei chladdu
Ar y dydd oedd hi i briodi;
Gobeithio ei bod hi'n awr mewn urddas,
Yn meddu harddach gwisg briodas.[3]

75

Y Sul canlynol, 'roedd amryw o'r gynulleidfa yn eu dagrau wrth wrando pregeth rymus Owen Jones ar y testun, 'Nac ymffrostia o'r dydd yfory; canys ni wyddost beth a ddigwydd mewn diwrnod.'

Er nad oedd gan neb air da bellach i'w ddweud am y dyn dwad a fu'n byw yn eu plith am bum mlynedd, 'roedd hi'n anodd credu y gallai un mor hynaws a charedig droi'n llofrudd dros nos. Ac ar 30 Mawrth gwnaeth yr *Herald Cymraeg* ymdrech i brofi y gellid cydymdeimlo hyd yn oed â'r adyn pennaf. Nid oedd amheuaeth, meddid, nad oedd Pierce Jones yn caru'r ferch ac 'roedd sôn eu bod wedi addo ffyddlondeb, y naill i'r llall, mor bell yn ôl â Diwygiad '59. Gwnaeth bob ymdrech i'w wneud ei hun yn deilwng ohoni. Darllenai ei Feibl yn gyson, âi ar ei liniau nos a bore, a dewisodd gwmni aelodau capel Glan-yr-afon yn hytrach na chwmni'r Foelas. Pan glywodd ei bod wedi derbyn cynnig dyn arall, dywedodd y byddai'n well iddi drywanu ei galon â chyllell ar unwaith, gan na allai ef fyw hebddi. Addawodd hithau, yn ôl y sôn, roi i fyny gadw cwmni â'r llall a dod yn eiddo iddo ef. Beth bynnag am hynny, methu yn ei amcan a wnaeth Pierce Jones a throi'r bygythiad na châi Jane fyth fod yn eiddo i neb arall yn ffaith, y bore trist hwnnw o Fawrth.

> Tad a mam yn bod yn dystion
> O gigydd-dra'r llofrudd creulon,
> Ac er tywallt mil o ddagrau
> Myn'd a'u hanwyl ferch o'u breichiau.
>
> Miloedd sydd yn awr yng Nghymru
> Grogent hwn heb Judge na Jury;
> Ac mae ochain lled dosturiol
> Am rieni'r ferch rinweddol.[4]

Ddydd Mawrth y Frawdlys yn Ninbych, 'roedd nifer helaeth o drigolion y dref, ac ymwelwyr, wedi casglu yn y lôn y tu cefn i adeilad y llys cyn saith o'r gloch y bore. Yn dâl am eu codi cynnar, cawsant weld tri charcharor ifanc yn cael eu harwain mewn cyffion i lawr Stryd y Castell — Henry Pritchard, postmon, a gyhuddid o dreisio geneth un ar ddeg oed, George Willow, clerc ar reilffordd y *Great Western,* a gyhuddid o ddwyn arian a ymddiriedwyd i'w ofal, a'r gwas ffarm a laddodd ei gyn-gariad.

Bu rhuthro dychrynllyd pan agorwyd y drysau am naw o'r gloch. Achos Henry Pritchard, y postmon, oedd yr un cyntaf i gael ei alw, ac fe'i dedfrydwyd i saith mlynedd o lafur caled. Wedi i'r achos hwnnw gael ei wrando, bu peth oedi, gan fod nifer o ferched ffasiynol yr olwg yn mynnu eu ffordd i mewn.

Pan arweiniwyd Pierce Jones i'r doc, bu cryn gynnwrf yn y llys. 'Roedd byd o wahaniaeth rhwng y dyn sarrug yr olwg a blêr ei wisg a wynebodd reithgor y trengholiad a'r dyn tal, cadarn, golygus hwn yn ei siwt o frethyn tywyll. Plediodd yn ddieuog mewn llais tawel, crynedig, heb edrych unwaith i gyfeiriad ei rieni, a eisteddai'n union o'i flaen. Arhosodd ar ei sefyll am hanner awr, ond pan ddechreuodd Dafydd Jones ddisgrifio'r olygfa erchyll y bu'n llygad-dyst ohoni yn y Fotty'r bore hwnnw fe'i gollyngodd ei hun i gadair a dechrau crio. Bu'n eistedd felly am ddwyawr a'i wyneb wedi'i orchuddio â hances boced.

Yn ystod y prynhawn, bu'r erlynwyr Mr. Wynne Foulkes a Mr. McIntyre, a fu'n ceisio amddiffyn Jack bach Swan,[7] yn holi a chroesholi'r tystion, gan bwysleisio na welodd yr un ohonynt erioed yr un awgrym o wallgofrwydd yn ymddygiad Pierce Jones a'i fod yn cael ei ystyried yn ddyn call a digon deallus. Mynnai Ann Jones, y Fotty, nad oedd dim yn wahanol ynddo i unrhyw was arall ac na wyddai hi fod perthynas rhyngddo a'i merch.

Y meddyg Davies, Cerrigydrudion, oedd tyst allweddol cyntaf Mr. Morgan Lloyd a Mr. Ignatius Williams, ar ran y carcharor. Yn ôl y meddyg, 'roedd Pierce Jones yn dioddef o *spermatorrhoea,* clefyd a fyddai'n effeithio ar y system nerfol. Daethai i'w weld, mor bell yn ôl ag Ionawr, 1864, a bu dan ei ofal am ddeufis. Yn ystod y cyfnod hwnnw ni welsai ef unrhyw arwydd o wall-gofrwydd ynddo er ei fod yn poeni cryn dipyn oherwydd yr afiechyd. Wrth ei groesholi, gofynnodd Mr. Morgan Lloyd iddo a oedd yn ymwybodol fod saith allan o ddau ar bymtheg o achosion gwallgofrwydd yn Ysbyty Bethlehem yn 1862 yn ganlyniad y clefyd hwnnw. Cytunodd y meddyg y gallai hynny ddigwydd a'i fod wedi cynghori Dafydd Jones, tua dwy flynedd yn ôl, y byddai'n ddoethach iddo beidio ag ailgyflogi Pierce Jones gan fod perygl y gallai ddioddef o ffitiau ac anhwylderau nerfol eraill.

Cytunai Thomas Jones, meddyg carchar Rhuthun, fod y clefyd hwn yn achosi gwallgofrwydd ac y gallai hynny, yn ei dro, arwain un ai i hunanladdiad neu lofruddiaeth. Ond pwysleisiai yntau na welodd ddim o'i le yn ymddygiad y carcharor. Yr un oedd tystiolaeth Ceidwad y carchar, er iddo ef gyfaddef fod ymddygiad Pierce Jones braidd yn od ar adegau. Siaradai'n ddi-baid ambell ddiwrnod; dro arall âi i eistedd i gornel i grio, neu gerdded yn wyllt o gwmpas yr iard. Pan ofynnodd iddo a oedd rhywun wedi bod yn ei blagio, atebodd, 'Na, mae fy meddwl i'n ddigon tawel'.

Yn ystod y prynhawn a'r min nos, galwodd Mr. Morgan Lloyd ar wyth o dystion, i brofi nad oedd Pierce Jones yn gyfrifol am ei weithred ac nad oedd yn ei lawn bwyll pan laddodd ei gyn-gariad.

Cyfeiriodd dau o'r tystion at achosion o iselder meddwl a gwallgofrwydd o fewn y teulu, mewn ewythr a chyfyrder, nai a nith. Disgrifiodd Dafydd Evans, crydd ym Mhentrefoelas, fel y bu i Pierce Jones alw yn ei dŷ y noson cyn y llofruddiaeth a gofyn iddo dorri ei wallt. Cwynai fod ei ben yn boeth fel popty a'r gwaed yn berwi yn ei wythiennau, a sylwodd Dafydd Evans fod ei wallt a'i war yn wlyb domen o chwys.

Yng Ngorffennaf, 1865, wedi iddo adael Hafotty-hafod-y-dre, aeth Pierce Jones i weithio i Ysbyty'r Meddwl, Dinbych. Cofiai Thomas Roberts, un o'r goruchwylwyr a John Robinson, clerc, fel y bu iddo un diwrnod fwyta tarten gyrens, lathen o hyd, a oedd wedi ei bwriadu ar gyfer pump. Rhwng ysbeidiau o fwyta, gorweddai ar lawr. Dro arall, treuliodd ddiwrnod cyfan yn gorwedd ar ei wely, heb gerpyn drosto, yn cwyno fod ei waed yn berwi.

Pan anfonwyd ef oddi yno, ddeufis yn ddiweddarach, yr oedd, yn ôl John Robinson, yn amlwg yn dioddef o anhwylder meddwl. Holodd Mr McIntyre yn ddigon sarrug sut y bu iddynt ganiatáu iddo adael ac yntau yn y fath gyflwr ac atebodd Robinson nad eu lle hwy oedd penderfynu hynny.

Cadarnhawyd tystiolaeth y ddau gan y meddygon Evan Pierce Williams a George Turner Jones, Dinbych, aelodau o'r Coleg Meddygol Brenhinol. Nid oedd amheuaeth, meddent, fod y carcharor yn dioddef o *spermatorrhoea* a bod y clefyd hwnnw'n effeithio ar y meddwl yn ogystal â'r corff. 'Roedd yr achosion o wallgofrwydd yn digwydd yn llawer amlach pan fyddai'r un a ddioddefai ohono wedi ei siomi mewn cariad. Tra oedd Pierce yn Ninbych, cawsai'r meddyg Williams ei alw ato sawl tro yn ystod y nos, a daethai'n ôl yno i'w weld nifer o weithiau, gan gerdded o Bentrefoelas, pellter o tua un filltir ar bymtheg. Credai'r meddyg Jones ei fod, pan oedd yn Ninbych, yn dangos arwyddion cynnar o wallgofrwydd a byddai wedi trefnu i un o'r goruchwylwyr fynd i'w ddanfon oddi yno oni bai i'w fam ddod i'w nôl. Er nad

Ysbyty'r Meddwl, Dinbych

78

oedd modd iddo ef wybod beth oedd cyflwr meddwl Pierce Jones ar 26 Mawrth, credai, o'i adnabyddiaeth ef ohono, ac o wrando'r achos, mai gweithred o wallgofrwydd oedd y lladd.

Wedi i Mr. Morgan Lloyd erfyn ar y rheithgor i arbed bywyd Pierce Jones oherwydd cyflwr ansad ei feddwl ac i Mr. McIntyre haeru ei fod yn gwbwl gyfrifol am ei weithred, bu'r Barnwr, y Gwir Anrhydeddus Farwn Fitzroy Kelly, yn eu hannerch am awr a hanner. Terfynodd drwy ddweud fod yr achos o blaid y carcharor wedi'i brofi y tu hwnt i bob amheuaeth.

Dilynodd y rheithgor gyngor y Barnwr a dychwelyd mewn deng munud yn gytûn iddynt gael y carcharor yn ddieuog ar sail gwallgofrwydd. Pan gyhoeddwyd y ddedfryd o garchar am oes yn Seilam Broadmoor, llanwyd y llys ag ocheneidiau o ryddhad. Ac wedi naw awr yn y doc, gollyngodd Pierce Jones, yntau, ochenaid fach, o sylweddoli fod ei fywyd wedi ei arbed a chyfiawnder wedi ei weinyddu.

Lluniodd Bardd Tysilio, neu'r Bardd Cocos, faled o alar-gân, yn disgrifio'r llofruddiaeth erchyll yn ei ddull dihafal ei hun a diweddu, fel gweddill y baledi, ar nodyn o rybudd:

> Y tystion yn cael eu holi yn fanwl ac yn saff,
> Y deuddeg *Jury* aethant o'r neilldu,
> Yn euog cafwyd y filain fall,
> Anfonwyd o i garchar i ddyodde'r loes am ei oes.
>
> Mae o yn y twr gwyn,
> Mae arno olwg syn erbyn hyn,
> Er maint o ddarllen, a gweddio,
> A phregethu sydd yn awr,
> Wele yn awr mae Satan fawr yn gawr mawr
> Ar ryw lu mawr o blant Adda sy'n troedio'r llawr . . .
>
> O gydgyfoedion ieuainc,
> Cymerwn esiampl y naill oddiwrth y llall,
> Peidiwn a dynwared yr hen fall:
> Oes galed, falch yw yr oes hon sy'n codi'n awr.
>
> Yr ydym ni fel coed neu geryg
> O dan athrawiaeth yr efengyl.
> Mae chwyldroad i fod cyn sicred a throad y rhod
> Hyd yr hen ddaearen cyn bo hir, a dyweyd y gwir.[8]

79

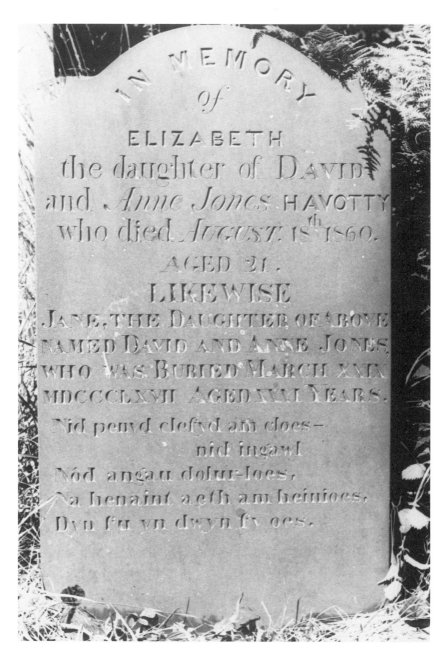

IN MEMORY
of
ELIZABETH
the daughter of DAVID
and *Anne Jones* HAVOTTY
who died *AUGUST* 18th 1860.
AGED 21.
LIKEWISE
JANE, THE DAUGHTER OF ABOVE
NAMED DAVID AND ANNE JONES,
WHO WAS BURIED MARCH XXIX
MDCCCLXVII AGED XXXI YEARS.

Nid penyd clefyd am does –
nid ingawl
Nôd angau dolur-loes,
Na henaint aeth am heiuioes,
Dyn fu yn dwyn fy oes.

Bedd Jane Jones y Fotty

Bu Dafydd Jones y Fotty farw wyth mlynedd yn ddiweddarach, yn wyth a thrigain, ond ar waetha'r gofid a'r trallod bu Ann Jones fyw am ugain mlynedd wedi'r trychineb. Daeth John, y mab, y dywedir i'w wallt wynnu dros nos pan glywodd y newydd am ei chwaer, yn enwog yn ardal Pentrefoelas fel adeiladydd, ac yn Ustus Heddwch, uchel ei barch.

Claddwyd Dafydd ac Ann Jones ym mynwent Pentrefoelas, mewn bedd cyfochrog â'u dwy ferch, Elizabeth a Jane. Ar y garreg a osodwyd ar y bedd hwnnw, yn ogystal â'r arysgrif Saesneg a'r rhifau Rhufeinig i ddynodi oed a dyddiad marw Jane, ceir englyn sy'n cyfeirio'n gynnil at y trychineb a ddigwyddodd yn Hafotty-hafod-y-dre yn gynnar un bore o Fawrth yn 1867:

> Nid penyd clefyd a'm cloes—nid ingawl
>   Nôd angau dolur-loes,
>   Na henaint aeth â'm heinioes;
>   Dyn fu yn dwyn fy oes.

NODIADAU

[1] Cân yn rhoddi hanes manwl am y Llofruddiaeth Ddychrynllyd a gyflawnwyd ar ferch ieuangc: Abel Jones (Bardd Crwst)

[2] Cerdd newydd yn gosod allan yr hanes am Lofruddiaeth Erchyll ym Mhentrefoelas: Glan Seiont

[3] Galarus Gân: Dafydd Jones, Llanybyther (Dewi Dywyll)

[4] Hanes Pierce Jones a laddodd Jane Jones

[5] Llofruddgan Pentre Foelas: Ywain Meirion — Tôn 'Diniweidrwydd'

[6] Hanes am Lofruddiaeth Echryslon Miss Jane Jones, Hafotty

[7] Gweler stori John Roberts (Jack Swan)—'Be wna' i â'r gwsberis?'

[8] Galar-Gân newydd: Bardd Tysilio

GWLAD
Y
MENYG GWYNION
Cadwaladr Jones
1877

Rhan o bentref y Brithdir (Penygroes ar y chwith)

Y DDYNES SYDD AR GOLL

Y mae dynes o ardal y Brithdir ar goll ers dros fis, a llawer cais wedi ei wneud er cael gwybod rhywbeth pa un yw yn fyw neu wedi marw neu wedi ei lladd. Ymddengys ei bod yn gadael Dolgellau am y Brithdir fis i nos Lun diweddaf, a dyna yr hanes olaf a glywyd amdani. Mae yr heddgeidwaid a'r cymdogion wedi gwneud eu rhan trwy chwilio y bryniau a'r afonydd er dyfod i ryw wybodaeth, ond y cwbl yn ofer hyd yma. A fyddai dim modd dylanwadu ar y Llywodraeth i roddi gwobr hardd am roddi rhyw oleuni ar yr amgylchiad?

Ymddangosodd yr apêl uchod yn *Y Dydd*, papur Dolgellau, ar y chweched o Orffennaf 1877. Yn ystod y mis, bu cryn ddyfalu a thrafod ynglŷn â'r diflaniad. Credai'r mwyafrif fod y ferch un ai wedi ei lladd ei hun neu wedi cael ei lladd. Tueddu i gymryd hynny'n ysgafn a wnâi'r awdurdodau, fodd bynnag, gan dderbyn barn y lleiafrif mai wedi gadael o'i gwirfodd am Lanidloes neu dde Cymru yr oedd hi, a bodloni, wedi ychydig ddyddiau o chwilio, ar anfon disgrifiad ohoni i'r *Police Gazette*. Fe'u beirniadwyd gan y cyhoedd am laesu dwylo, ac yn y *Carnarvon and Denbigh Herald* cafwyd geiriau pur hallt yn eu cyhuddo o esgeulustod ac o ddangos mwy o ddiddordeb mewn anifail coll:

> It is well known with what an amount of zest, shrewdness and activity some people go about cases where nothing more important than a hare or a pheasant is concerned. In this case, was it shown how much more valuable is human life?

Cyfeiriodd *Yr Herald Cymraeg*, hefyd, at yr helynt a fu yn y dref ynglŷn â difaterwch a llwfrdra'r heddgeidwaid, ond gwnaeth y *Cambrian News*, ar Awst y trydydd, ymdrech ddewr i ateb y cyhuddiadau yn eu herbyn.

Ddechrau Gorffennaf, cerddodd rhieni'r ferch, a rhai o'u cyfeillion, o'r Brithdir i Ddolgellau a pheri i'r cyhoeddwr lleol gylchu'r dref yn gwahodd pobl i fynd gyda Robert Hughes, y tad, i chwilio Coed Ffridd Arw a'r afon Aran. Ond er i nifer helaeth ymateb i'r gri, bu'r chwilio a'r chwalu yn gwbwl ofer.

Lai na phythefnos yn ddiweddarach, fore Llun, 16 Gorffennaf, cafwyd hyd i gorff y ddynes a oedd ar goll fesul darn yn yr afon honno. Aed â'r deuddeg darn (un ar ddeg, yn ôl rhai papurau; un ar bymtheg yn ôl eraill) i Wyrcws Dolgellau. 'Roedd y dirgelwch a fu'n destun dyfalu a thrafod ac anghytuno am chwe wythnos wedi'i ddatrys, a'r ofn a goleddai'r mwyafrif wedi'i wireddu.

Sarah Hughes, gerllaw Dolgellau,
  Ydoedd lodes lawen, lon,
Ond y llofrudd hyll, ellyllaidd—
  Erchyll oedd cigeiddio hon;
Ar bedwaredd o Fehefîn,
  Mil wyth gant saith deg a saith,
Y mae llawer calon ddrylliog,
  Hefyd llawer llygad llaith. [1]

Merch sengl, ddwy ar bymtheg ar hugain oed, oedd Sarah Hughes, yn byw yn ysbeidiol gyda'i chwaer, Margaret, ym Mhencraig, yn hen bentref Penygarreg, heb fod ymhell oddi wrth Coedbach, cartref eu rhieni, Robert a Catrin. Nid oedd ond deuddydd er pan ddaethai'n ôl at ei chwaer, wedi rhai wythnosau'n gweini ar fferm Coedmwsoglog, Rhydymain.

'Roedd Sarah tua phum troedfedd dwy fodfedd o daldra, efo wyneb crwn, glân a thoreth o wallt du fel y frân, ac yn eneth debol, wedi hen arfer â gwaith caled. Roedd hi'r un mor barod i lafurio allan yn y caeau ag oedd hi i olchi a glanhau yn nhai a ffermdai'r ardal. Nid fod ganddi fawr o ddewis, ran'ny, a hithau â dau blentyn siawns, deg ac un ar bymtheg oed, i'w cynnal. Tyngai Margaret, ei chwaer, na wyddai hi, mwy na neb arall, pwy oedd tad y plentyn hynaf ond 'roedd rhyw si mai gŵr priod o Ddolgellau oedd tad y llall, a'i fod wedi gadael ei wraig a'i blant a dianc i'r Amerig mewn canlyniad i hynny.

Tua chwech o'r gloch fîn nos Lun, y pedwerydd o Fehefîn, gadawodd Sarah gartref ei chwaer a chychwyn am Ddolgellau. 'Roedd hi'n fwy ffwdanus nag arfer ac yn mynnu i Begws roi rhwymyn am y ddau fys yr oedd hi wedi'u torri efo cyllell yn gynharach yn y diwrnod, rhag ofn i'r briwiau ailagor, ac iddi gael gwaed ar ei dillad. Anaml iawn y byddai'n gwisgo'i siaced ffelt a'i ffrog sidan ddu a'i hosanau cochion i bicio i'r dref. Ac 'roedd o'n beth od, erbyn meddwl wedyn, iddi fynd â dillad isaf glân a rhyw fanion eraill i'w chanlyn. Ond 'roedd Pegws yn llawer rhy brysur, ar y pryd, i foedro'i phen am bethau felly. Ni fyddai fawr elwach o holi, p'run bynnag. Dilyn ei llwybr ei hun a wnâi ei chwaer. Sawl tro yn ystod y blynyddoedd y clywsai ei mam yn dweud, 'Biti na fydda' Sarah 'ma'n hannar cant!'

Wedi iddi orffen ei mân negeseuau, galwodd Sarah i weld ei nith, Catherine Griffiths, a oedd yn gweini yn Eldon House, ac yna troi i mewn, heibio talcen Shop Newydd, i Unicorn Lane, am baned a sgwrs gyda'i chyfeilles, Margaret Williams. 'Roedd hi wedi troi hanner awr wedi wyth arni'n gadael. Cyfarfu â chydnabod iddi yn agos i'r Wyrcws. 'Mae hi'n hwyr iawn arnat ti heno, Sarah,' sylwodd hwnnw. Atebodd hithau ei bod yn disgwyl rhyw ffrind i'w chyfarfod ac yr âi hi'n ei blaen yn burion. Ann Williams oedd yr olaf i'w gweld, tua naw o'r gloch wrth Felin Ship, ryw chwarter milltir o'r dref, wrth

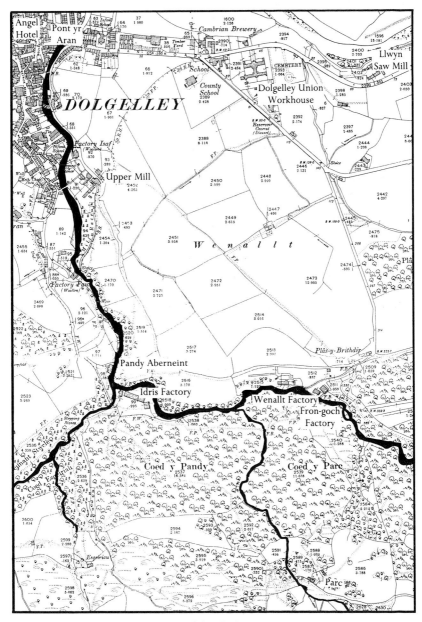

Ardal Dolgellau

87

iddi ddychwelyd o Gaerynwch. Ni fu dim mwy na 'nos da' rhyngddynt. Aeth Ann Williams yn ei blaen am Ddolgellau a Sarah, dybiai hi, i ddilyn y ffordd dyrpeg hyd at y ffynnon fach. Diolchai Ann Williams ei bod hi â'i hwyneb at Ddolgellau yn hytrach na'r Brithdir. Byddai'n gas ganddi orfod dilyn llwybr y dibyn drwy'r coed ei hunan, liw nos.

Dros y penwythnos hwnnw o Orffennaf, bu'n glawio'n ddi-baid am dridiau. Wedi cyfnod o sychder drwy'r wlad, 'roedd hynny'n beth i'w groesawu, er bod y papurau newyddion yn cwyno i'r llifogydd achosi colledion dirfawr mewn rhai mannau. Ond 'roedd gan drigolion Dolgellau a'r cylch reitiach pethau i'w trafod na chyflwr y tywydd. Os oedd un dirgelwch wedi'i ddatrys, 'roedd un arall, mwy arswydus fyth, yn aros heb ei ddatgelu.

Mewn cymdeithas glòs, 'roedd sylweddoli y gallai llofrudd Sarah fod yn un ohonyn nhw yn ddigon i yrru ias oer i lawr asgwrn cefn y gwytnaf o ddynion. Ofnai'r merched fynd allan wedi nos a rhybuddiwyd y plant i gadw o fewn cyrraedd clust a llygad. Heuwyd pob math o sibrydion a'r rheini'n chwyddo wrth gael eu cario o dafod i dafod.

Mynnai un iddo weld dau ddyn yn cario sach, wrth iddo gerdded gyda glan yr afon y Sul hwnnw. Roedd yr arogl a godai o'r sach, meddai, yn ddigon i lorio rhywun, a bu'n sâl am ddyddiau mewn canlyniad i hynny. Wrth roi clust i'r stori, daeth rhai i'r casgliad i'r ddau ddyn gyfarfod Sarah wrth Felin y Llwyn, ei llusgo i'r coed, a'i lladd, gan gadw'r corff yn ddirgel am chwe wythnos nes cael cyfle i'w ddarnio a'i daflu i'r afon. Ond haerai eraill iddynt gael ar ddeall fod Sarah yn feichiog ac mai'r un oedd y llofrudd â thad y plentyn.

Ynghlwm wrth yr arswyd, 'roedd teimladau cryfion o gywilydd o feddwl fod eu sir hwy, sir na fu'r un gwarthnod arni ers pump a thrigain o flynyddoedd, pan laddwyd Mary Jones gan ddyn dwad, yr Hwntw Mawr, ym Mhenrhyndeudraeth, bellach yn flotyn du ar fap Cymru a Phrydain Fawr. Onid oedd yr Uchel-siryf wedi cyflwyno'r menyg gwynion i'r Prif Farnwr, Syr Fitzroy Kelley yn llys y Sesiwn ddechrau Gorffennaf, yn arwydd nad oedd drwgweithredwr o fewn y sir?

> Gymry annwyl! clywch yr hanes
>   Roddai brudd-der i bob dyn;
> Drwg yr ydym oll wrth natur,
>   Ond mae'r adyn hwn yn un
> O'r rhai gwaethaf a groniclwyd
>   'Rioed yn hanes Cymru fad;
> O! Meirionydd, rhwng dy fryniau,
>   Fe ddaeth gwarthrudd ar y wlad. [1]

Gallai llif afon Aran, mewn canlyniad i'r tridiau o law trwm, fod wedi profi'n fendith i un gŵr, o leiaf, oni bai am gangen gollen a geneth ddeg oed. Picio ar neges dros ei mam yr oedd y ferch fach, tua hanner awr wedi chwech fore Llun. Wrth iddi groesi'r bompren gyferbyn â Meyrick House, rhwng Pont yr Aran a Felin Ucha' yng nghanol y dref, gwelodd fraich wedi'i dal mewn cangen gollen yn yr afon:

Merch fechan a ganfyddodd, do rywfodd, waith y dyn,
'Wrth groesi pont yr afon' — wrth ddynion dwedai'n flin —
'Fe welais yn ymgodi, law ddynol, uwch y dw'r.
Llaw ddynol oedd 'r wy'n sicr — llaw ddynol oedd 'r wy'n siŵr.'[2]

Cafodd gohebydd arbennig y *Carnarvon and Denbigh Herald* flas anghyffredin ar ddisgrifio'r olygfa ddramatig:

On the stream came a woman's arm. It neither dived under the branch nor leapt over it. Rather, the arm caught by its bend the interposing branch and there stayed until discovered by the little girl. The arm embraced the branch in an upward direction and the hand, with two of the fingers bandaged, was wide open as if to say — 'Thus far will I go and no farther, till the foul deed done on yonder hill be brought to light'.

Ymhen llai nag awr, 'roedd nifer helaeth o ddynion lleol, o dan arweiniad y Cadben Clough, Prif Gwnstabl y sir, a'r Arolygydd Jones, Dolgellau, wedi dechrau chwilio'r afon a'i glannau. Ar eu taith frawychus i fyny'r aber cawsant hyd i rannau eraill o'r corff a darnau o ddillad wedi'u dal rhwng y cerrig. 'Roedd y dref yn ferw a'r trigolion yn heidio tua'r afon o bob cyfeiriad.

O un i un, daeth y dynion â ffrwyth eu llafur i'r heddgeidwaid — Griffith Thomas, gwehydd, Evan Pugh a John Edwards a'r prentis ifanc, Robert Williams, gweithwyr yn ffatri Abernaint; Humphrey Williams, pannwr a phrif arolygydd Pandy Fron-goch a Daniel Jones, y nyddwr; Humphrey Owen, adeiladydd a John Jones, paentiwr; William Lloyd, nyddwr yn ffatri Idris ac Edward Roberts, labrwr. Yn ogystal â rhannau o'r corff, yn cynnwys morddwyd a phen, cefn a bronnau, rhai organau mewnol, braich yn dal yn ei llawes a throed yn dal yn ei esgid, 'roedd yno ddarnau o bais wlanen, pais goch resog a siaced.

Aed â'r cyfan i farwdy'r Wyrcws, ac yno tystiodd Margaret Hughes, Pencraig, Penygarreg, a hynny o dan deimlad dwys, mai dyma weddillion ei chwaer, Sarah.

Wyrcws Dolgellau

Ddydd Mawrth, cynhaliwyd trengholiad mewn ystafell yn y Wyrcws o flaen Griffith Jones Williams, Crwner y sir a phedwar ar ddeg o reithwyr, y mwyafrif ohonynt yn fasnachwyr yn y dref. Gan nad oedd y tad na'r chwaer yn bresennol, anfonwyd cerbyd i'w nôl, er mwyn eu cael i dystio'n ffurfiol mai dyma weddillion corff Sarah. Dywedodd y Crwner ei fod wedi trefnu i'r meddygon Lloyd Williams ac Edward Jones archwilio'r corff a bod yr organau mewnol a'r dillad i gael eu hanfon i Lundain i'w harchwilio'n fanwl. Bwriadai, hefyd, anfon at yr Ysgrifennydd Cartref, i ddeisyf arno gynnig gwobr hael am ddarganfod y llofrudd.

Mynegodd un o'r rheithwyr ei ofid nad oedd y sir, yn ystod yr wythnosau y bu'r ddynes ar goll, wedi cynnig unrhyw wobr am wybodaeth, yn wahanol i Arfon, a oedd wedi addo gwobr dda i'r sawl a wyddai rywbeth o hanes y ddynes o Ben'rallt yr Inco, Dolgarrog, sef Jane Owen, geneth o forwyn a aethai ar goll tua'r un amser â Sarah. Fe'i hategwyd gan un arall o'r rheithwyr. Ni fyddai'r heddynadaeth sirol, meddai, fawr o dro'n cynnig gwobr pe byddai'r achos yn un o ladd pysgodyn.

Gohiriwyd y trengholiad hyd ddydd Mercher, Awst y cyntaf, er mwyn rhoi cyfle i gasglu rhagor o wybodaeth a fyddai'n eu harwain at y llofrudd.

Y prynhawn hwnnw, claddwyd gweddillion Sarah, yn Rhydymain yn ôl mwyafrif y papurau newyddion, ond yn y Brithdir yn ôl y *Carnarvon and Denbigh Herald*. Ym mynwent yr Annibynwyr yn y Brithdir, ceir carreg i goffáu Robert Hughes, tad Sarah, ac arni'r frawddeg foel, 'Hefyd am Sara, eu ferch'. Disgrifir yr angladd yn *Baner ac Amserau Cymru* fel 'claddedigaeth preifat — hollol anghyhoedd'.

Bedd Sara (h) ym mynwent yr Annibynwyr, Brithdir

Ymhen saith wythnos gyfan, daeth y gyflafan ddrud —
Daeth yr erchyllwaith allan, er bod yn nghudd cyhyd—
Fe'i cododd ac fe'i darniodd — fe'i cariodd oll o'r lle,
Fel gallai dw'r yr afon ei chario heibio'r dre'.

Pryd hyn daeth y lofruddiaeth, trwy ddoeth ragluniaeth Duw,
Yn amlwg iawn, a chywir — mor glir i ddynol-ryw!
Ond pwy a wnaeth lofruddio, a darnio'r eneth hon?
Rhaid fod gan un—y llofrudd—hyll falais dan ei fron.[2]

91

Yr un cwestiwn oedd ar dafodau pawb. Ond ni fu'n rhaid aros yn hir am ateb. Yn y bore bach, ddydd Mercher, 18 Gorffennaf, aeth yr Arolygydd Jones, Dolgellau, yr Arolygydd Hughes, Tywyn, y Rhingyll Williams, Corwen a nifer helaeth o heddgeidwaid i ddilyn afon Aran unwaith eto i fyny hyd at y Parc, ffermdy bach unig, di-nod yr olwg. Cyn amser cinio, 'roedd gŵr y tŷ hwnnw wedi ymddangos gerbron yr ynadon Lewis Williams, H. J. Revely a Griffith Williams ac wedi'i gyhuddo o lofruddiaeth wirfoddol ar, neu oddeutu y pedwerydd o Fehefin.

Cadwaladr Jones oedd enw'r llofrudd,
Cyfaddefodd hwn yn hy',
Swyddogion gwladol aethant yno,
I wneyd ymchwil ar ei dy.[1]

Y Parc: cartref Cadwaladr Jones

92

Mae'n ymddangos mai Robert Hughes, tad Sarah, oedd wedi eu rhoi ar drywydd Cadwaladr Jones, pan ofynnodd y Rhingyll Williams iddo a oedd yn amau rhywun. Bu'r swyddogion yn oedi y tu allan i'r Parc am dros awr, nes gweld mwg yn esgyn o'r unig simnai. Pan aeth yr Arolygydd Owen Jones i'r tŷ a gofyn caniatâd i chwilio'r ystafell wely, daeth Cadwaladr Jones ato a dweud nad oedd unrhyw ddiben iddo drafferthu rhagor gan mai ef oedd yn gyfrifol. Wedi i Owen Jones ei rybuddio y byddai'n rhaid iddo wneud defnydd o bopeth a ddywedai, gofynnodd, 'Ydach chi'n meddwl dweud wrtha i mai chi laddodd Sarah Hughes?' 'Roedd yr ateb yn gwbl glir a phendant—'Ydw, myfi ddarfu, myfi fy hunan, ac nid neb arall; dyna'r gwirionedd'.

Fel un a oedd wedi adnabod Cadwaladr Jones ers cryn amser, fe'i câi Owen Jones hi'n anodd credu mai'r gŵr llednais, tawel hwn oedd y llofrudd a fu'n gyfrifol am y fath erchyllltra. Yr un oedd ymateb trigolion Dolgellau a'r cyffiniau pan aeth y newydd ar led.

Mab Lewis Jones, Coedmwsoglog, Rhydymain o'i briodas gyntaf oedd Cadwaladr. Nid oedd ond pump ar hugain oed, yn bum troedfedd wyth modfedd o daldra, gyda gwallt brown tywyll a llygaid gwinau. Er nad oedd fawr o gymeriad i'w wyneb ac na fyddai wedi denu sylw neb mewn tyrfa, nid oedd ynddo'n sicr, meddid, ddim i awgrymu wyneb llofrudd. Pan geisiodd rhai o'r papurau Seisnig ei bardduo drwy ei alw'n 'atrocity-monger' a 'ruffian of the first breed', cyhoeddwyd erthygl faith yn Y Dydd yn amddiffyn ei gymeriad:

> Nid oedd Cadwaladr Jones yn cael ei adwaen yn y dref fel rhyw *ruffian* o ddyn — meddw, cwerylgar, ac afreolus; ni chlywsom fod gan neb un cwyn yn ei erbyn amgen na'i fod braidd yn ddiystyr o'r Sabbath . . . Ni fu erioed yn cael ei wysio o flaen yr ynadon am boachio, nac am ymladd, nac am feddwi, ac ni wyddai o'r blaen beth oedd treulio noswaith oddi mewn i garchardy, na beth ydoedd sefyll ym mocs y carcharor i wrando ei brawf ar unrhyw gyhuddiad . . . Mae yn beth anhawdd meddwl am foment y buasai dyn mor dawel yn codi ei ddwrn i daraw un o'r un rhyw ag ef, chwaithach y llestr gwanaf, heb ei fod wedi cael ei wylltio, ei gyffroi, a'i yru i dymer y tuhwnt iddo ei hun gan rywbeth neu gilydd.

Ond er na chafodd ei ddal, yr oedd Cadwalad y Coed, fel llawer o'i gyfoedion, wedi gwneud mwy na'i siâr o herwhela. 'Roedd sôn ar led iddo, flynyddoedd ynghynt, pan oedd yn potsian gyda rhai o'i gyfeillion, daflu tryfar at gipar a oedd ar eu gwarthaf nes bod gwreichion yn tasgu o garreg. Treuliai ei Suliau'n hela neu bysgota ac ni fu erioed yn aelod yn yr un eglwys, er ei fod yn arfer mynd i'r Ysgol Sul yn eitha cyson pan oedd yn blentyn.

Cadwaladr Jones

'Roedd y tad yn hwsmon i Mr. Harris, bonheddwr o Fanceinion. Bu Cadwaladr yn byw gyda'i dad yng Nghoedmwsoglog nes iddo briodi yn 1876 a symud i fyw i'r Parc. Arferai dreulio'r wythnos yn helpu'i dad ar y fferm a dychwelyd adref ar nos Sadwrn at ei wraig a'i ferch fach. Talai ddeg swllt y flwyddyn o rent am y tyddyn a dau gae a chadwai stoc dlodaidd o fuwch a llo, pum dafad a dau oen.

Wrth iddynt chwilio cynnwys y Parc, daeth yr heddgeidwaid o hyd i lyfr deugain tudalen o farddoniaeth a'r cyfan wedi'i ysgrifennu'n ddestlus mewn inc du a lliw, a phensel. Ym mysg yr englynion a'r cywyddau a'r penillion dan y pennawd 'O'r Byd i'r Bedd', o waith nifer o awduron, yr oedd cân wedi'i chyfansoddi gan Cadwaladr ei hun, yn disgrifio'i gartref:

> Wel dyma le diwall,
>   Neb, neb yn gwneyd gwg
> 'Does neb yma'n deall
>   Beth yw tafod drwg;
> Mynwesol dangnefedd
>   Sydd yma'n parhau,
> Coroni'r gwirionedd
>   A gwrthod y gau.
>
> Welsoch chwi erioed,
> Welsoch chwi erioed,
>   Le bach mor anwyl
> A 'nghartre yn y coed.
>
> Ac os daw cym'dogion,
>   Neu estron i'n lle,
> Caiff groesaw pob calon,
>   A digon o de.
> Neb ffrae byth ni chlywch,
>   Ond pawb yn ddiwall,
> Neb, neb yn annynad
>   Yn lliwiad i'r llall.

Ond yr oedd gan y swyddogion lawer mwy o ddiddordeb yn y sach a gafwyd o dan bentwr o gerrig yn y beudy, a'r bedd saith troedfedd wrth ddwy a thair troedfedd o ddyfnder, wedi'i orchuddio â brigau, mewn un cornel o'r ardd a oedd wedi tyfu'n wyllt. Cadwaladr Jones ei hun a'u harweiniodd i'r ardd. Nid oedd am gelu dim, meddai. Yno, daeth yr heddgeidwaid o hyd i fotymau, ambarél a chudynnau o wallt hir, du. Neidiodd ci Cadwaladr Jones, a oedd wedi eu dilyn, at ochr y gwrych, a gafael yn rhywbeth â'i ddannedd. Llwyddodd yr Arolygydd Hughes i'w gymryd oddi arno a gwelodd mai cnawd llaw oedd a rhai o'r ewinedd yn dal wrtho. Nid oedd unrhyw amheuaeth bellach nad yn y darn tir llaith hwn y bu Sarah yn gorwedd am chwe wythnos, nes i'w llofrudd gael ar ddeall fod y swyddogion yn bwriadu defnyddio gwaedgwn ac iddo, yn ei ddychryn, ddarnio'r corff 'yn y modd mwyaf cigyddlyd'. Wedi llifogydd y Sadwrn a'r Sul, ei obaith oedd y byddai llif afon Aran yn cario pob arlliw o dystiolaeth allan i'r môr.

Cyn i'r swyddogion ei arwain i ffwrdd, gofynnodd Cadwaladr am ganiatâd i nôl ei Feibl o'r tŷ. Wrth iddynt gerdded am Ddolgellau bu'n holi Owen Jones a gredai ef y byddai i Dduw faddau iddo am wneud y fath beth. Atebodd yntau ei fod yn ffyddiog y gwnâi. Yn ei braw, gadawodd y wraig ifanc y tŷ gyda'i phlentyn. Ychydig ddyddiau'n ddiweddarach, rhoddodd orchymyn i rywun saethu'r ci yr oedd gan ei gŵr gymaint o feddwl ohono, a daeth ei thad i'r Parc i gymryd meddiant o gynnwys y tŷ a'r stoc pitw.

Aed â Chadwaladr i garchar Dolgellau, a'i roi yng ngofal y rheolwr, Owen Thomas, bonheddwr cwrtais, pwyllog a chraff. Bu un o ohebwyr *Y Dydd* yn ei weld a cheir yn ei ddisgrifiad o'r ymweliad y cydymdeimlad diffuant hwnnw a amlygwyd tuag at y carcharor yn ystod y misoedd canlynol, nes cyrraedd ei benllanw ddechrau Tachwedd:

> Gwelsom ef o'n blaen a'i Feibl yn ei law. Yr olwg a gawsom arno ydoedd dyn ieuanc tawel, caredig a glandeg, ac os oeddym o'r blaen bron yn methu â chredu ei fod yn euog o'r fath weithred erchyll y cyhuddir ef ohoni, yr oedd ei weld 'wyneb yn wyneb' yn ei gell bruddaidd yn ein gwneud yn bellach nag erioed o gredu hyny. 'Yr ydych yn fy adwaen i, Cadwalader Jones?' meddwn wrtho. 'O ydwyf yn right dda,' ebai, a'r dagrau yn treiglo o'i lygaid. 'Yn yr ysgol ym Mhandy'r-gader y gwelais chwi ddiweddaf, onide?' meddwn. 'O ie,' meddai yntau, 'a dyma lle 'rydw i *nawr.*'

Tra oedd y cyn-denant o dan glo, bu trigolion y cylch yn ymlwybro wrth eu cannoedd am y Parc a mynegodd rhai eu syndod o weld gardd yn y fath anialwch. Ac i fyny wrth y Llynbach, ryw ddwy filltir a hanner o'r Parc, daeth crwydryn o'r enw John Davies o hyd i het mewn pwll o ddŵr ar ochr y ffordd. Yn yr het yr oedd rhwyd wallt a chudynnau o wallt hir, du.

Ar y dydd Iau a'r dydd Gwener olaf o Orffennaf, ymddangosodd y carcharor gerbron yr ynadon yn neuadd y dref. Er iddo, pan alwodd y Parchedig David Griffith i'w weld yn gynharach yn yr wythnos, ddangos teimlad o edifeirwch a gofid mawr oherwydd ei bechodau, nid oedd wedi gwneud unrhyw gyfaddefiad ffurfiol. Daeth cannoedd o ymwelwyr i'r dref ar y trên bore a phan agorwyd y drysau i'r cyhoedd yr oedd rhai merched a phlant mewn perygl o gael eu sathru dan draed yn y rhuthr.

Yn y llys, galwyd nifer o dystion, ac yn eu plith Gwen Lewis, Pen'rallt a gofiai i Cadwaladr Jones alw heibio i'r tŷ tuag wyth o'r gloch ar y pedwerydd o Fehefin, noson diflaniad Sarah Hughes, i brynu buddai. Tystiodd y meddyg Edward Jones fod y corff wedi ei archwilio a bod y meddygon o'r farn ei bod yn feichiog. Ond ni chafwyd tystiolaeth o unrhyw fath i brofi mai Cadwaladr Jones oedd yn gyfrifol. Mynnodd Howell Jones, Rhydymain na welsai ef, er iddo fod yn gweithio yng Nghoedmwsoglog pan oedd Sarah Hughes yn gweini yno, awgrym o gyfathrach rhwng y ddau.

Wedi anerchiad y Crwner, ymneilltuodd yr ynadon am hanner awr, a dychwelyd yn unol eu rheithfarn fod Cadwaladr wedi llofruddio Sarah Hughes. Pan gyhoeddwyd y newydd, mynegodd y cyhoedd eu cydymdeimlad â'r carcharor gan ddweud, 'O! O! Y creadur bach. Druan â fo.' Ac ar y trydydd o Awst, yn ogystal ag amddiffyn cymeriad Cadwaladr, mentrodd *Y Dydd* gam ymhellach, gan fynnu fod yn rhaid amlygu pob ffaith o ran tegwch â'r truan a gyhuddwyd:

> Mae'n wybyddus mai dynes o gymeriad amheus ydoedd Sarah Hughes, ac, fel pob un o'r cyfryw, yn teimlo yn bur hyf ar y rhai y bu yn digwydd bod mewn cyfathrach rhy agos â hwy. Deallwn ei bod yn sefyll ar delerau felly â'r carcharor, Cadwalader Jones, ac yn coleddu y dybiaeth fod ganddi gystal hawl ar logell a meddiannau gŵr y Parc â'i wraig ef ei hun. Yn ôl yr hyn a glywsom—nis gallwn *sicrhau* ei wirionedd, ond y mae yn bur nodweddiadol o'r ymadawedig — daeth â'r hawl hwn yn mlaen y noson y cyfarfyddodd â'r carcharor, sef y noson olaf y bu fyw a hyny mewn dull mwy sarhaus nag arfer, gan fygwth ei ddynoethi ar gyhoedd, ac yn ôl un o bapurau Le'rpwl, dyfod â chyngaws yn ei erbyn am dori amod priodas. Yr oedd gan Cadwalader Jones wraig a phlentyn; gwyddai hyny, a theimlai drostynt; ac wrth feddwl yr ergyd fuasai hyn i'w briod pe buasai y fenyw yn rhoddi ei bygythiad mewn gweithrediad, tebygol iddo gyffroi, myned yn ymryson, ac o ymryson yn daro, a gwyddom beth fu y canlyniad.

Nid oedd gan y *Carnarvon and Denbigh Herald* air da iddi chwaith:

> Sarah Hughes was by no means a good woman and Cadwaladr Jones had previously led a humane and an apparently respectable life . . . One thing has been highly probable as elucidating the sad circumstances of this case, albeit that no prominence was given to it at

the trial. We refer to the supposed connection between the deceased and the prisoner and we have been told on very good authority that as smoke is to fire, so is lust always to murder.

Sarah druan!
Yn ystod yr haf hwnnw, nid oedd Cadwaladr yn rhy awyddus i dderbyn ymwelwyr. Galwodd ei frawd a'i ewythr yno un waith, ac ymadael yn eu dagrau. Holai'n aml am ei dad, ac er na ddaeth Lewis Jones i'w weld i'r carchar anfonodd lythyr ato yn ystod mis Awst. Cyhoeddwyd yr atebiad i'r llythyr hwnnw a chyfres o benillion o waith Cadwaladr yn *Y Dydd* ar 24 Awst:

Annwyl dad,
   Wele fi yn cymeryd y cyfle hwn i ysgrifennu atoch, gan fawr obeithio eich bod yn iach oll, fel fy hunan. Yr wyf yn diolch yn fawr am eich caredig lythyr; yr ydwyf wedi ei ddarllen ddengwaith drosto gyda theimlad calon a llawer o ddagrau. Nid aiff dim o'ch llythyr yn ofer byth bythol. Yr wyf yn ymhyfrydu mwy ar fy ngliniau bob dydd ac am ddal hyd y diwedd. Y mae pawb yn garedig iawn wrthyf. Y mae genyf ddigon o bob peth.
   Yr ydwyf yn gobeithio eich bod yn mendio yn ffest gael i chwi ddyfod yma i edrych amdanaf, ac i roi ambell i gyngor bach. Wel, byddwch yn hapus, a chofiwch fyned i bob moddion gras, a dywedwch wrth John am fyned i'r seiat rhag blaen. Gyrwch yn ol mor fuan ag y gallwch gael amser; byddaf yn disgwyl bob mynyd bellach.
                                        Ydwyf, eich mab
                                                Cadwalader.

'Derbyniais lythyrau, rhai gwych a rhai gwan,
Ond dyma'r anwylaf gyrhaeddodd i'm rhan;
Un llawn o gynghorion, rhai mwynion a mad,
I mi sydd bechadur, yw llythyr fy nhad.

Mae nghalon yn dawnsio, yn crio bob yn ail.
A'm gwallt ar fy nghoryn yn ysgwyd fel dail;
'Rwy'n credu fod Iesu yn rhoi caniatad
I dderbyn pechadur, 'nol llythyr fy nhad . . .

Wel, myned i'r carchar yn gynar a ge's,
Fealle gwna'r carchar i'm lawer o les;
'Dwy'n hidio mo'r carchar, 'rwy'n edrych i'r wlad
Sy'n nglŷn â'r ysgrythur sy'n llythyr fy nhad . . .

'Pechodau fel 'sgarlad, fel eira wna'n lan,
A phechod fel porphor gan wyned a'r gwlan;
'Rwy'n wylo wrth feddwl mai caru lleshad
Rhwng Duw a phechadur mae llythyr fy nhad.'

Yn rhifyn 12 Hydref yr oedd *Y Dydd* unwaith eto'n pwysleisio cydymdeimlad y cyhoedd ac yn hyderu y byddai iddo gael 'arbediad bywyd':

Deallwn fod ei gyfeillion a'i gydnabod yn casglu tuag at iddo gael y bargyfreithiwr goreu a ellir i'w amddiffyn a byddant yn ddiolchgar am y rhodd lleiaf tuag at hyn.

'Roedd y cyfraniadau i gael eu hanfon i 'Lewis Jones, Coedmwsoglog, Rhydymain, Nr. Dolgelley', er mwyn ei alluogi i dalu i Mr. Swetenham, Caer, ac addawai'r golygydd gydnabod yr oll a dderbynnid yn y papur. Aed ati, hefyd, i ffurfio deiseb i geisio achub ei fywyd ac erfynnid ar i rywun ym mhob ardal ei hysgrifennu 'ar bapur foolscap ar unwaith'.

Erbyn yr unfed ar bymtheg, 'roedd y deisebau yn llifo i mewn. Symudwyd Cadwaladr Jones i garchar Caer, i aros ei brawf ar y dydd olaf o'r mis. Er na allai siarad Saesneg, ceisiai ddilyn gwasanaeth crefyddol yr Eglwys Sefydledig yng nghapel y carchar. Treuliai ei amser yn darllen y Beibl a ddygasai i'w ganlyn o'r Parc. Tystiai un o'r gweinidogion lleol iddo dorri allan i wylo dan ddylanwad yr emyn 'Am graig i adeiladu, / Fy enaid, chwilia'n ddwys'. Rhyfeddai ceidwad y carchar fod y fath ddyn uwchraddol o ran sefyllfa, diwylliant a chymeriad wedi bod yn euog o'r fath lofruddiaeth erchyll.

Am ddeg o'r gloch y bore, arweiniwyd Cadwaladr Jones i'r doc ym Mrawdlys Caer. Gwisgai ei ddillad Sul a chôt fawr ddu, dda a choler felfed arni. Er bod ei fochau dipyn yn bantiog 'roedd golwg lawer cryfach ac iachach arno a phwysai o wyth i ddeg pwys yn fwy na phan aed ag ef o'i gartref i garchar Dolgellau.

Yn Saesneg y cynhaliwyd yr achos a bu'r cyfreithiwr, Mr. David Pugh, yn ei waith yn cyfieithu, gan na allai mwyafrif y tystion na siarad na deall yr iaith honno. Yn ystod y saith awr o holi a chroesholi gan Ignatius Williams a Mr. Marshall, yr erlynwyr, a Mr. Swetenham, ar ran y carcharor, ni chododd Cadwaladr mo'i ben unwaith, wedi iddo bledio'n ddieuog. Eisteddai a'i fraich yn gorffwyso ar ymyl y doc a'i law dros ei wyneb.

Yn ôl y meddyg Edward Jones, 'roedd Sarah wedi cael ei tharo yn ei phen, uwchben ei llygad, â charreg neu arf trwm. 'Roedd saith o esgyrn y benglog wedi eu torri, meddai, a dyna oedd achos y farwolaeth. Cyfeiriodd, unwaith eto, at feichiogrwydd Sarah, a gwnaeth Mr. Swetenham ddefnydd helaeth o hynny yn ei araith ysgubol. Meddai:

> The deceased woman was not immaculate. She had attempted to father a child upon a married man, and the result was that at the present moment that man is an exile from his country. The prisoner was a young man, very shortly before united to the wife of his bosom, who had borne him one child, and it was not suggested that he had any improper intimacy with the deceased. It had been stated that the deceased was pregnant, and I would ask the jury whether they did not think that what she had done before she was likely to do again.

Aeth ymlaen i awgrymu i Sarah fynd yn unswydd i'r Parc y noson honno i fygwth dyfodol Cadwaladr Jones ac i geisio cael arian ganddo, ac iddo yntau fethu'i darbwyllo. Er nad oedd yn honni am eiliad nad Cadwaladr Jones oedd yn gyfrifol am ladd Sarah Hughes, nid llofruddiaeth mohono, meddai, ond dynladdiad, gan nad oedd unrhyw awgrym fod y weithred wedi'i chynllwynio ymlaen llaw. Rhoddodd ddisgrifiad brawychus o'r chwe wythnos a ddilynodd, gan ddyfynnu geiriau Alonzo o'r ddrama *The Tempest*:

> Oh, it is monstrous! monstrous!
> Methought the billows spoke, and told me of it;
> The winds did sing it to me; and the thunder,
> That deep and dreadful organ pipe, pronounced
> The name of Prosper.

Llwyddodd *Y Goleuad* i gyfleu'r naws ddramatig:

> Bydded i'r rheithwyr gymeryd i ystyriaeth y chwech wythnos a ddilynodd: gweled y carcharor yn myned noson ar ôl noson i'w wely at ei wraig ieuanc a'i blentyn bach, ac yn ymwybodol fod yn gorwedd mewn bedd, ychydig latheni oddiwrth y tŷ, gorff y ddynes drancedig, oedd wedi myned yn ddiau yn aberth i'w gynddaredd. O! ddychryn y dychrynfeydd! Pa beth a feddyllient ydoedd cyfansoddiad ei feddwl os nad oedd wedi ei lenwi ag edifeirwch a gofid o'r fath ddyfnaf? Ai nid oeddynt yn tybied fod y llif-ddyfroedd yn sisial enw Sarah Hughes wrth y carcharor? Ai ni thybient fod y gwynt, tra y gorweddai ef yn ei wely gyda'i wraig a'i blentyn, yn cario yr enw ato? Ai ni thybient fod y taranau hefyd yn galw ei sylw ato?

Ar derfyn ei araith, galwodd Mr. Swetenham nifer o dystion, yn cynnwys Mr. Harris, Manceinion, i roi tysteb lafar o gymeriad da Cadwaladr Jones.

Ond ar waethaf araith danllyd yr amddiffynnydd, cefnogaeth ddiffuant y tystion a thuedd y Barnwr Manisty tuag at ddynladdiad, ni chymerodd y rheithwyr ond hanner awr i benderfynu eu bod yn cael Cadwaladr Jones yn euog o lofruddiaeth. Pan ofynnodd y cyfieithydd iddo a oedd ganddo rywbeth i'w ddweud yn erbyn traddodi dedfryd marwolaeth arno, ni chododd Cadwaladr mo'i ben. 'Roedd yn wylo'n hidl a dagrau mawr yn disgyn dros ei ruddiau i'r llawr. Ac wedi i'r Barnwr wisgo'r cap du a chyhoeddi'r ddedfryd, o dan deimlad dwys, bu'n rhaid i ddau warchodwr ei helpu i gerdded o'r doc i'w gell.

> Cadwaladr am ei weithred
>   Yn nhre Caerlleon Gawr,
> A gafodd glywed dedfryd
>   A'i synodd ef yn fawr.
> Y Barnwr ddywedodd wrtho,
>   A hyn mewn geiriau dwys,
> Trugaredd fyddo i'ch enaid,
>   Cyn 'r elo'ch corff dan gwys.
>
> Rhaid i chwi gael eich cyrchu
>   I dref Dolgellau draw,
> I aros diwrnod chwerw,
>   Yr hwn ar fyr a ddaw.
> 'Does genych ond byr ddyddiau,
>   A hyny'n wir i fyw;
> Am hyny dwys weddiwch,
>   A gwaeddwch ar eich Duw.[3]

Ar y degfed o Dachwedd, daeth Cadwaladr y Coed yn ôl i'w gynefin. Gwisgai lodrau gwinau tywyll a'i gôt uchaf o frethyn du, da. Ni siaradodd fawr yn ystod y siwrnai, ond wrth fynd heibio i Goedmwsoglog meddai, a'i ddagrau'n llifo, 'Yn y tŷ bach acw mae 'nhad yn byw'.

Rhwng hynny a 23 Tachwedd, bu prysurdeb mawr. Yn un o bapurau Lerpwl cafwyd llythyr gan *An unbiased listener* yn amau cywirdeb y ddedfryd ac yn *Y Dydd* awgrymodd *Pryderus* y dylai cyfarfodydd gweddi gael eu cynnal ar ran y truan Cadwaladr Jones. Mynnai erthygl olygyddol y *Cambrian News* y dylid gwneud pob ymdrech i atal y dienyddiad ac anfonwyd deiseb at Mr. Cross, yr Ysgrifennydd Gwladol, wedi'i harwyddo gan dros wyth mil o ardal Dolgellau a miloedd yn rhagor o Gaer a threfi fel Aberystwyth a Chonwy. Ni ddangosodd y *North Wales Chronicle* unrhyw drugaredd tuag ato, fodd bynnag:

If ever there lived a wretch who deserves to be hanged without reserve, it is Cadwaladr Jones. It would be a crime to reprieve the murderer . . . About this murder there is a display of calm fiendish calculation and of methodical butchery that has its equal only in the Wainwright tragedy.

Treuliai Cadwaladr y dyddiau, fel cynt, yn darllen ei Feibl ac yn canu ei hoff emynau—'Cofia f'enaid cyn it dreulio', 'Ar fôr tymhestlog teithio'r wyf' a 'Pechadur wyf, y dua'n fyw, / Trugaredd yw fy nghri'. Anfonodd rhywun gopi iddo o'r emyn 'Iesu, cyfaill f'enaid i' a chafodd gysur mawr ohono gan mai dyna'r emyn, meddai, a ganai ei fam ar ei gwely angau. Gofynnodd am gael gweld dyn ifanc o'r enw Thomas Edwards, o Lanuwchllyn, gan ei fod yn awyddus i gymodi wedi ffrae a gawsant beth amser ynghynt.

O fis Awst ymlaen, derbyniai lythyr bob dydd oddi wrth Miss Pope, boneddiges o Ddulyn, ac anfonai yntau lythyrau ati hi ac eraill yn dweud ei fod yn caru'r Iesu'n fwy bob dydd ac yn hyderus y byddai i Dduw faddau iddo am ei holl bechodau. Mewn llythyr wedi'i gyfeirio at 'fy anwyl ieuenctid a phawb oll', meddai:

> O na allwn ddyfod o hen garchar Dolgellau at hen allor Rhydymain, a gwaeddi, Gweddiwch, bobl! O na allwn gael sicrwydd y byddwch gadwedig bob un. Yr wyf yn gobeithio nad oes un anghredadun yn Rhydymain. Peidied neb ohonoch ag esgeuluso y cyfarfod gweddi. Gweddiwch bobl!

Ar ddydd Iau, 22 Tachwedd, cyhoeddwyd yn *Y Dydd* nad oedd yr Ysgrifennydd Cartref yn teimlo yn foddhaol i gynghori ei Mawrhydi i ymyrraeth ag achos Cadwaladr Jones gan ychwanegu, 'ac felly, hyrddir ef i dragwyddoldeb bore yfory, yn ddyn ieuanc pump ar hugain oed'. Y prynhawn hwnnw, teithiodd y crogwr ar y trên o Riwabon. Cafodd ei ddilyn o'r orsaf gan dyrfa o bobl a phlant, yn gweiddi a hwtian. Pan gyrhaeddodd y carchar, fe'i cyflwynodd ei hun i Owen Thomas gan foesymgrymu a dweud, 'My name is Marwood, sir.'

Tua phump o'r gloch y bore, 23 Tachwedd, croesodd Cadwaladr Jones at ffenestr ei gell a syllu allan i'r tywyllwch, ''Rydw i'n gallu gweld seren,' meddai. 'Mi fydda' i'n iawn rŵan.' Yn ddiweddarach, daeth ei chwaer, ei wraig a'i blentyn i'w weld. Bu'r ymweliad yn un sobor o boenus. Cyn iddi adael, fodd bynnag, dywedodd ei wraig ei bod yn maddau iddo a'i bod yn gobeithio y câi'r un maddeuant uchod.

Am chwarter i wyth, arweiniwyd y carcharor heibio i'w fedd agored, at y crocbren a oedd wedi'i godi ar ochr y dref i'r carchar. Bu'n rhaid cael Mr.

Gorsaf Dolgellau

Hughes, o Gaer, i adeiladu'r crocbren hwnnw, gan i'r holl seiri lleol wrthod. 'Roedd y diwrnod yn un tywyll, oer a'r awyr yn gymylog a niwlog. Ar gnul cyntaf y gloch, gellid clywed sŵn griddfan ac igian crio ymysg y dyrfa a oedd wedi ymgynnull. A phan welwyd y faner ddu yn cyhoeddi fod y weithred wedi'i chyflawni, safodd pawb yn fud am rai eiliadau, fel pe wedi eu parlysu.

Wedi'r dienyddiad, cafwyd dadleniad syfrdanol. Brynhawn Iau, yr ail ar hugain, anfonwyd am y Parchedig David Griffith, gweinidog gyda'r Annibynwyr yn Nolgellau, ar gais Cadwaladr Jones. Y prynhawn hwnnw, gan nad oedd y gweinidog wedi ymateb i'r cais, aeth Owen Thomas i'w nôl. Dywedodd Cadwaladr wrtho i Sarah syrthio'n farw pan drawodd hi ar ei phen â charreg ac iddo yntau fynd ar ei liniau i erfyn maddeuant. Ond yr oedd cymal arall i'w gyffes, un a oedd yn tanseilio dadl Mr. Swetenham o ddynladdiad yn llwyr. Yr oedd, meddai, wedi meddwl ei lladd pan ddaeth hi i'w weld i'w gartref nos Wener, Mehefin y cyntaf.

Yn *Llais y Wlad,* ar 30 Tachwedd, cyhoeddwyd llythyr oddi wrth Cadwaladr Jones at y Parchedig Evan Lewis, caplan y carchar:

Anwyl Syr — Ysgrifenaf attoch i'ch hysbysu fy mod yn cydnabod cyfiawnder y gyfraith tuag ataf. Yr wyf yn wir ofidus fy mod wedi

103

dwyn y fath boen arnaf fy hun ac ereill. Maddeuaf i bawb, a gobeithiaf y gwna pawb yr unrhyw a minau; ac os caf nerth digonol i fyny i'r diwedd, gobeithiaf y caf Iesu Grist fel Ceidwad i mi. Amen.

Ac yn *Y Dydd,* yr un dyddiad, cyhoeddwyd nodyn a anfonodd i'w dad: 'Fy Anwyl Dad — Wele fi yn anfon gair i'ch hysbysu fy mod i wedi cyflawni y weithred hono, ac felly nid oes genyf ddim i'w ddywedyd yn erbyn y ddedfryd a roddwyd arnaf'. Ond yn yr un papur, ar 14 Rhagfyr, cafwyd llythyr gan Owen Thomas yn dweud i'r carcharor wneud cyfaddefiad ysgrifenedig o'i euogrwydd ac mai gwell fyddai fod heb ysgrifennu na chyhoeddi dim ond yr hyn a ysgrifennodd ef.

Ddiwedd Tachwedd, anfonodd y Parchedig David Griffith lythyr i'r *Liverpool Mercury,* a chafwyd cyfieithiad ohono yn *Y Dydd.* Ynddo, pwysleisiai na fu'r dyn anffortunus, Cadwaladr Jones, erioed yn aelod gyda'r Annibynwyr na'r un eglwys Gristionogol arall ac nad oedd wedi cyfranogi o sacrament Swper yr Arglwydd nes y gweinyddodd Caplan y carchar hynny iddo ychydig ddyddiau cyn ei ddienyddiad.

Wedi'r golled o ddau fywyd, bu'n rhaid i'r teuluoedd bydru ymlaen orau y gallent, wedi'u llethu gan amgylchiadau byw a'r pryder o geisio cael dau ben llinyn ynghyd. Yn 1878, tynnodd mam Sarah, a gâi ei hadnabod gan bawb fel Catrin Tomos, ei henw oddi ar restr llyfr Capel yr Annibynwyr, Brithdir, ond dychwelodd yno ymhen rhai blynyddoedd.

Merch i Mary a Robert Thomas oedd Catherine, ac fe'i bedyddiwyd yn Rhydymain ar y pedwerydd o Fawrth, 1809 gan y Parchedig Hugh Pugh, gweinidog cyntaf y cylch gyda'r Annibynwyr. Ganed chwech o blant iddi hi a Robert Hughes — tri mab, Hugh, John a Thomas a thair merch, Margaret, Elinor a Sarah — ac fe'u magwyd yn Tŷ Isa' Bach ar stâd y Blaenau mewn tlodi mawr. Pan aned Sarah yn 1840, nid oedd Hugh, yr hynaf, ond saith oed.

Yn ystod ei hoes faith, bu Catrin Tomos yn byw mewn nifer o dai yn yr ardal — Pandy, Coed-bach, Garth Isa', Cefn y Maes Bach, Tŷ Nant Bach a Phenygroes. Ym Mhenygroes y bu farw, o henaint, ar 20 Ionawr 1906. Fe'i hanfarwolwyd mewn rhigymau, yn cynnwys y llinellau:

A Catrin Tomos Tŷ Nant Bach
Yn hynach na'r frenhines.

Ond nid oedd Catrin na Robert Hughes fawr feddwl, pan fedyddiwyd Sarah yn Tŷ Isa' Bach, y byddai ei henw ar gof a chadw ganrif a hanner yn ddiweddarach. Ac ni fyddai Lewis Jones, Coedmwsoglog fyth wedi

91	Margared Roberts Cynan	
92	Howel Pughe Tynycefn	
93	Anne Pughe Eto	
×94	Elin Pughe Eto	
95	Catherine Jones Dolserey Issa	
96	Thomas Roberts Crossfoxes	
97	Mrs Roberts Eto	
98	William Williams Tynygaer	
99	Gwen Williams Eto	
100	Hugh Pughe Fraian	
101	Catherine Pughe Eto	
~~102~~	~~Catherine Thomas Coedbach~~	Ymadael a'r Eglwys
103	Jane Jones Tynsimdda	
~~104~~	~~Lowry Ellis Wernjochisaf~~	Trwy dysteolaeth yn Ganllwyd Mai 14
105	Hugh Pughe Tyneurydduchaf	
106	Margared Pughe Eto	
107	Lewis Evans Pengroes	
108	Gwen Evans Eto	
109	John Jones Cefnymaesbach	
110	Elin Jones Eto	
111	David Williams Brynyraur	
112	Mary Williams Eto	
+113	Anne Roberts Llwynirhelm	
+114	Lewis Ellis Eto	
115	Rees Pughe Llwynytalcen	

Enw Catrin Tomos wedi ei groesi oddi ar restr llyfr capel y Brithdir

Catrin Tomos Tŷ Nant Bach

breuddwydio y gwelai'r mab yr oedd gan bawb air da iddo yn diweddu'i oes ar grocbren. Ond felly y digwyddodd pethau rhwng Mehefin a Thachwedd, 1877, pan roed gwarthnod ar Sir Feirionnydd a staen ar wlad y menyg gwynion.

NODIADAU

[1] Cân am Lofruddiaeth Ddychrynllyd Sarah Hughes: Hugh Roberts (Pererin Môn)
[2] Cân Alarus: Evan Griffiths (Ieuan o Eifion)—Ar y Dôn 'Cwynfan Prydain'
[3] Cân Newydd am ddienyddiad a chyfaddefiad Cadwaladr Jones a'i Dreial yng Nghaerlleon Gawr: Abel Jones (Bardd Crwst)

'BEAUTIFUL MURDER'
Thomas Jones
1898

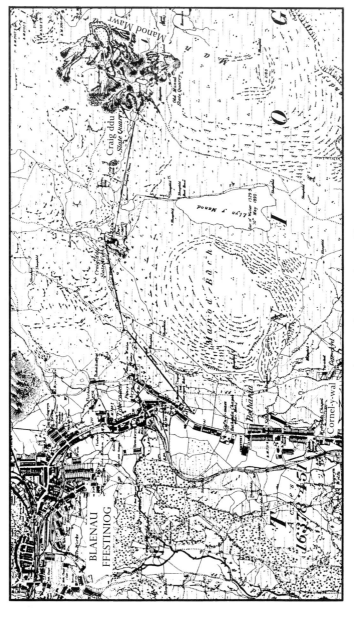

Y Graig Ddu, Manod Mawr a Blaenau Ffestiniog

Thomas Jones y llofrudd du,
Lladd ei wraig ar ben Graig Ddu;
Paid a phoeni Mary Bruton —
Caiff ei grogi efo cortyn.

Nid yr odl yn unig sy'n ddiffygiol yn y pennill a luniwyd i anfarwoli Thomas Jones. Ar yr ail o Fawrth, 1898, pan gafwyd Mary Bruton (Burton, yn ôl rhai papurau a Briwton yn ôl eraill) yn gorwedd yn farw mewn pant ger chwarel y Graig Ddu ar fynydd y Manod, 'roedd 'y wraig' yn fyw ac yn iach ac yn byw gyda'i chwaer yng Nghaernarfon. Ac er bod yr ansoddair 'du' yn un digon addas i ddisgrifio unrhyw lofrudd, mynnai Thomas Jones, wrth iddo gyfarch yr ynadon ym Mlaenau Ffestiniog, ei fod cyn laned â hwythau.

Un o Amlwch oedd y llofrudd du, yn dri deg pedwar oed, ac yn bodoli ar bedlera o gwmpas y wlad fel ei dad a'i frodyr, John, Hugh, Edward a Harri. Ysgubwr simneiau yng Nghaergybi oedd William, y brawd arall, a'r unig chwaer, Ann Jane, a'i phlentyn siawns yn byw gyda'r rhieni William ac Ann Jones yng nghefn Wesley Street, Amlwch. Ond fel yr eneth fach o Lŷn[1], nid oedd gan y Mary hon chwaith deulu gwerth sôn amdanynt, ac eithrio un perthynas pell yn Amlwch. Nid fod hynny'n poeni fawr arni, cyn belled â'i bod hi'n cael cwmni Thomas.

Pan oedd y ddau'n cyd-fyw yn Rhos Place, Amlwch yn ystod gaeaf, 1897, galwyd y Rhingyll Owen Williams i'r tŷ ar 27 Tachwedd. 'Roedd Thomas yn feddw gorn. Gwthiodd Mary o'r neilltu gan ddweud yn fygythiol, 'Sa' di'n ôl, neu mi lladda' i di'.

Honnai William Owen, un o'r cymdogion, nad oedd dim newydd yn hynny a'i fod wedi gweld Thomas yn ei dyrnu a'i chicio, gan fygwth ei bywyd, sawl tro. Byw ci a chath oedd rhyngddyn nhw, meddai, ac 'roedden nhw yng ngyddfau'i gilydd ddydd a nos. Ond gwadu hynny a wnâi Mary gan fynnu mai William Owen oedd yn gyfrifol am yr helynt rhyngddynt ac na ellid dibynnu dim ar ddyn a fu'n treulio tymor mewn gwallgofdy.

Pan geisiodd y Rhingyll ei pherswadio i symud allan, meddai, 'Mae'n well gen i fod efo Tom na neb arall'. Ac er ei holl fygythiadau, bod efo Mary oedd dewis Thomas, yntau, yn hytrach nag efo'r wraig. Yn y Cartreflu yr oedd pan redodd i ffwrdd i Amlwch i briodi yn 1886. Gwrthodai teulu'r ferch dderbyn hynny, ac ymhen dwy flynedd cawsai Thomas, yntau, ei demtio i fynd i hel ei draed unwaith yn rhagor.

Cafodd Thomas dair wythnos o garchar am fod yn feddw ac afreolus; nid am y tro cyntaf. Wedi iddo gael ei ryddid, gadawodd y ddau'r tŷ bach a'i wely benthyg yn Rhos Place a chychwyn ar eu crwydriadau o gwmpas y wlad er mawr ryddhad i William Owen, a dyngai y byddai Thomas Jones wedi ei ladd y noson honno o Dachwedd petai wedi llwyddo i gael gafael arno. Nid fod Mary'n fêl i gyd chwaith. 'Roedd hithau wedi tynnu mwy nag un o drigolion Amlwch yn ei phen, ac yn ddigon parod i godi'i bys bach.

Daeth mis Mawrth i mewn ar ddydd Mawrth yn 1898, a chyn ei fod yn ddeuddydd oed, 'roedd yr hen ddihareb 'Mawrth a ladd' wedi'i gwireddu. Er bod yr eira wedi clirio o'r gwastadedd, 'roedd haenau ohono ar dir uchel a'r rhewynt yn brathu drwy gnawd. Hyd yn oed i'r sawl a oedd wedi hen arfer â bywyd garw, noson i swatio o dan do ac wrth dân oedd y nos Fawrth honno.

Pan ddychwelodd Catherine Carrol i'w chartref yn y Barics, Penybryn, Ffestiniog tua chwech o'r gloch, cafodd Thomas Jones a Mary Bruton yn eistedd wrth ei thân. 'Roedd hi wedi hen arfer rhoi llety i grwydriaid, ac wedi setlo mwy nag un ohonyn nhw â nerth braich. Gwyddai, o brofiad, wrth weld yr olwg sarrug ar Thomas Jones ac arogli'r ddiod ar ei anadl, ei bod yn wynebu ar fin nos digon cythryblus.

Ei chydymdeimlad â Mary yn unig a'i rhwystrodd rhag dangos y drws iddo. 'Roedd honno, mae'n amlwg, yn arswydo rhagddo ac yn garreg ateb iddo ym mhob dim. Ond nid oedd ei dymer yn mennu dim ar Catherine Carrol a phan barodd Thomas i Mary dynnu'i hesgidiau fel y gallai, meddai, eu gwerthu iddi hi am swllt a chwech fe ddywedodd wrtho, heb flewyn ar ei thafod, ei bod yn gywilydd iddo awgrymu'r fath beth. 'Roedd ganddo'r wyneb, wedyn, i ddweud nad oedd wedi bwriadu gwerthu'r esgidiau, dim ond profi maint ei ddylanwad dros Mary. Fe aeth pethau o ddrwg i waeth pan fynnodd anfon Mary allan i nôl chwart o gwrw iddo. 'Dos i dy wely, da chdi,' meddai Catherine. 'Ddaw yna ddim rhagor o ddiod i'r tŷ yma heno.'

Penderfynu gadael y Barics, yn hytrach na mynd i'w wely, a wnaeth Thomas Jones, fodd bynnag. Nid oedd am aros ym Mhenybryn i gael ei ladd gan y dynion a oedd o gwmpas, meddai. Dweud go od, meddyliodd Catherine Carrol, gan nad oedd ond John, ei mab un ar bymtheg oed, yn y tŷ y noson honno. P'run bynnag am hynny, 'roedd yn dda ganddi weld ei gefn a gwrthododd yn bendant dalu wyth geiniog y llety'n ôl iddo. 'Dydi o ddim yn beth neis gwneud row mewn tŷ lodging,' haerodd Thomas.

'Nac ydi, nac yn unman arall chwaith,' atebodd hithau.

Ceisiodd Catherine Carrol gael gwybod gan Mary, pan biciodd honno'n ôl wedi anghofio'i ffedog, i ble'r oedden nhw'n cychwyn mor hwyr yn y nos, ond ni wyddai hi ddim, meddai. Wrth iddi adael y tŷ, daeth Thomas Jones i'w chyfarfod a'i ddyrnau i fyny, gan ddweud yn fygythiol, 'Ar y ffordd, dyna lle cei di hi'r diawl'. Felly, beth bynnag, y tystiai Catherine Carrol.

Gyda'r bygythiad hwnnw y cychwynnodd y ddau i lawr y rhiw i gyfeiriad y lôn bost. Yn Highgate, Ffestiniog, daeth yr heddgeidwad Davies i'w cyfarfod.

Synnai eu gweld allan, gan iddo gael ar ddeall, pan alwodd yn y Barics yn gynharach y noson honno, eu bod wedi setlo yno'n ddigon hapus am y nos. Holodd ai wedi ffraeo yr oedden nhw. Sicrhaodd Thomas ef fod popeth yn iawn, ond iddo gael allan eu bod yn aros mewn tŷ drwg ac nad oedd yn fodlon gadael ei wraig yn y fath le. Pan ddywedodd Thomas eu bod yn anelu am Lanrwst, cynghorodd y plismon hwy i droi i'r dde ar waelod y rhiw a dilyn y ffordd fawr trwy'r Blaenau. Ond yn hytrach na dilyn cyfarwyddyd Davies, dewisodd Thomas droi i'r dde cyn cyrraedd y ffordd fawr a dilyn ffordd drol a arweiniai i fyny am y Manod Mawr a chwarel y Graig Ddu.

> Wedi tario yn Ffestiniog,
>   Trodd y ddau i ffordd ynghyd,
> Ac wrth fyned, ebai swyddog,
>   Sobr oeddynt, — o'r un fryd;
> Ond dywedai gwraig y lletty
>   Mai bygythiol oedd ei lef,
> Ac fod arswyd ar y ddynes —
>   Ofnai ei gynddaredd ef. [2]

Tuag un ar ddeg y noson honno, galwodd Mary Bruton yn fferm Llechwedd Isaf i holi'r ffordd i Lanrwst. Cynghorodd Ellis Roberts hi i droi'n ôl am Ffestiniog, gan nad oedd ond milltiroedd o fynydd o'i blaen. Ond ni dderbyniodd Thomas gyngor Ellis Roberts, mwy nag un Davies. 'Roedd hi fel y fagddu a brath eira yn y gwynt, ond ymlaen yr aethon nhw, yn uwch i'r mynydd, a Mary'n dilyn yn ffyddlon yn ôl traed yr un yr oedd hi wedi dewis ei ganlyn ers naw mlynedd, heb fawr feddwl mai hon fyddai eu taith olaf.

> Hwyr gadawsant fro Ffestiniog,
>   Tua'r mynydd aeth y ddau,
> Ef yn bygwth pethau enbyd,
>   Hithau druan yn bur glau
>
> Yn ei ddilyn yn ddiniwed,
>   Mynych archoll ga'dd i'w bron;
> Pur adfydus ydyw'r stori.—
>   Gwaedlyd ddiwedd fu i hon. [2]

Ni chafodd y dyn a gurodd ar ddrws Cae Canol Mawr am chwech o'r gloch fore Mawrth, i ofyn a gâi adael ei fasged yn y tŷ, fawr o groeso gan Ann Ephraim. 'Roedd ei olwg yn ddigon i ddychryn rhywun, heb sôn am y stori anhygoel oedd ganddo i'w dweud am ryw ddynes a oedd wedi ei ddilyn i'r

113

Cae Canol Mawr wrth odre'r Manod Mawr

mynydd. Bu'n chwilio amdani am hydoedd, meddai, a'i chael, o'r diwedd, yn gorwedd mewn cwt heb gerpyn amdani. Diolchodd Ann Ephraim i'r Goruchaf nad oedd ei mab wedi cychwyn i'w waith. Dychwelodd i'r tŷ, gan ofalu cloi'r drws am y tro cyntaf erioed, a gweiddi ar y mab i beri i'r dyn adael ei fasged yn y beudy.

Rhyw din-droi yn y fan honno yr oedd pan ddaeth Henry Davies, Station Road, Ffestiniog, heibio ar ei ffordd i'w waith yn chwarel y Graig Ddu. Wedi iddo fegian joe o faco, ailadroddodd ei stori, gan ychwanegu fod y ddynes yn wallgof ac na allai ei chael i lawr o'r mynydd. Ar ei ffordd i Ffestiniog yr oedd, meddai, i roi ei hachos i'r plismon.

Cyn i'r dyn, a'i cyflwynodd ei hun fel Thomas Jones, cylchwerthwr o Amlwch, Môn, gael cyfle i roi'r achos gerbron yr Arolygydd Morgans, 'roedd Henry Davies a'i gyd-weithiwr John Hughes, Pantyrhedyn wedi dringo'r llethrau fel helgwn, gan ddilyn trywydd o ddillad chwâl ac olion gwaed ar y gaenen eira. Daethant o hyd i gorff merch, nid mewn cwt, fel yr haerai'r dieithryn, ond ar dir agored o fewn rhyw ugain llath i gwt powdwr y chwarel dri chant a hanner o droedfeddi uwchlaw lefel Ffestiniog.

Wedi iddynt godi dau blyg y ffedog a orchuddiai ei hwyneb, gwelsant ei bod yn hollol farw. 'Roedd y corff yn noeth, ar wahân i hosan ac un esgid, ond wedi'i orchuddio'n ofalus â nifer o hen ddilladau.

Stori ychydig yn wahanol oedd gan Thomas Jones i'w hadrodd wrth yr Arolygydd Morgans. Nid unrhyw ddynes oedd yn gorwedd yn noeth ar y mynydd bellach, ond ei wraig. Bygwth ei lladd ei hun yr oedd hi, meddai, ond llwyddodd ef i'w harbed ac 'roedd hi'n cysgu'n braf pan adawodd hi. 'Wyt ti wedi peidio â'i lladd hi, dywed?' holodd Morgans, yn amheus.

'Mae yr Arglwydd yn gwybod, wnes i ddim iddi hi,' atebodd Thomas, cyn sobred â sant.

Pan oedd Henry Davies wrth Bont y Pandy ar ei ffordd yn ôl i Ffestiniog i hysbysu'r swyddogion, cyfarfu â'r Arolygydd Morgans, yr Heddgeidwad Nathaniel Davies, a'r dyn a welsai wrth feudy Cae Canol. Ymunodd yr Heddgeidwad David Jones o Gonglywal, Y Blaenau, â nhw, wedi'i alw gan was Cae Canol ar ran Ann Ephraim. Cofiai iddo weld y ddau bedler yn cerdded drwy Gonglywal am Ffestiniog brynhawn Mawrth, y ddau yn ddigon sobor ac yn ymddangos yn eitha cyfarwydd â'r ffordd.

Erbyn wyth o'r gloch y bore, 'roedd y lle'n ferw, a'r hanes eisoes wedi mynd ar led. Wedi iddo archwilio'r corff, yno ar y mynydd, cyhoeddodd y meddyg Richard Jones, Blaenau Ffestiniog, i Mary Bruton farw yn oriau cynnar bore Mawrth. Wedi'i rhoi i orwedd yno yr oedd hi, meddai, ac ni allai un o'i nerth hi fyth fod wedi achosi'r fath niwed iddi ei hun.

Mewn canlyniad i hynny, y ddau gadach gwaedlyd yn ei boced a'r olion gwaed a phoer ar ei ddillad, cyhuddwyd Thomas Jones o lofruddiaeth. Mewn ateb i'r cyhuddiad, dywedodd nad oedd ganddo ddim i'w ddweud ond i'r Arglwydd ei gadw ac iddo yntau wneud popeth a allai i atal Mary rhag ei lladd ei hun.

Trefnwyd i ddod â chorff Mary i lawr y tair inclên i neuadd y dref. Rhoddwyd Thomas yng ngofal yr heddgeidwaid ac aed ag ef i'r Blaenau, lle 'roedd y strydoedd yn orlawn o wŷr a gwragedd a phlant yn disgwyl yn eiddgar amdano. Braidd yn siomedig oedden nhw o weld dyn digon cyffredin yr olwg, cymharol fyr, o bryd golau ac wedi'i eillio'n lân, ar wahân i ychydig o flew uwchben ei wefus uchaf.

Treuliodd Thomas y noson honno yng ngharchar Caernarfon, y 'palas' y bu'n aros ynddo sawl tro. Ac efallai fod hwnnw, er ei waeled, yn amgenach llety, yn arbennig ar dywydd mor llaith ac afiach, na'r cytiau moch a'r ysguboriau yr arferai Mary ac yntau gysgu ynddynt.

Ni fu gofyn iddo, fel y lliaws a ddioddefai o'r annwyd, y peswch, bronceitus a'r anwydwst, fanteisio ar yr hysbyseb a ymddangosodd yn Y Genedl Gymreig: 'Cryfhewch y cyfansoddiad i wrthsefyll peryglon ac anhwylderau y tymor hwn o'r flwyddyn trwy gymeryd meddyglyn llysieuol rhinweddol ac adgryfhaol fel Quinine Bitters Gwilym Evans'.

Cyn i drigolion y Blaenau gael eu gwynt atynt, 'roedd Thomas Jones yn ei ôl, i ymddangos yn y trengholiad yn y Rock Temperance Hotel. Er bod

Un o'r dair inclên o'r chwarel

116

Blaenau Ffestiniog

golwg digon penisel arno, yn eistedd yn ei gwman a'i gap yn ei law, mynnodd gael croesholi rhai o'r tystion, gan gyhuddo Catherine Carrol o ddweud celwyddau amdano. Ond ni fu fawr elwach ar hynny. Brynhawn dydd Iau, fe'i cyhuddwyd yn ffurfiol gan yr Arolygydd Morgans o lofruddio Mary Bruton ar fynydd y Manod, a gohiriwyd yr achos am wythnos ar gais y meddygon. Hyd yn oed cyn iddo gael ei gyhuddo'n ffurfiol, 'roedd Abel Jones, y Bardd Crwst, yn crochlefain ei faled i'r llofrudd du 'mewn tôn wylofus dros ben' a darluniau ohono'n britho ffenestri masnachdai'r Blaenau.

Yn ystod y trengholiad, torrodd un wraig i wylo wrth ei weld yn edrych mor wael. 'Mae'n rhaid fod yna ryw fai arni hithau,' mynnodd.

Llwyddodd Treborfab, gohebydd *Baner ac Amserau Cymru*, i gael caniatâd i ymweld â Thomas yn ei gell, ac meddai, yn ei adroddiad:

> Prudd iawn ydoedd, a di-siarad, ac edrychai yn llym iawn, a'i lygaid wedi ymsoddi i'w ben. Dywedai na buasai hyn arno oni bae i wraig y tŷ lodging eu bygwth y noson yr aethant allan o'r tŷ. Nid ydyw wedi cael dim oddiwrth ei deulu hyd yma, ond y maent yn addaw rhoddi cyfreithiwr i'w amddiffyn. Y mae gan ei dad a'i frodyr foddion.

117

Dywedai ei fod yn hollol ddi-euog ac mor ddiniwed â neb, a dywedai yn bendant na wnaeth efe ddim i'r drangcedig mewn modd yn y byd. Disgwylia y caiff gyfiawnder, ac hyd yma y mae pawb wedi dangos caredigrwydd mawr ato.

'Roedd y dref yr un mor orlawn y prynhawn Iau hwnnw pan aed â chorff Mary Bruton o'r Farchnadfa, hen neuadd y Blaenau, i fynwent Bethesda. Fe'i claddwyd yn barchus ac 'roedd dagrau yn llygaid sawl un yn ystod y gwasanaeth teimladwy, o dan ofal y Parchedig David Hoskins, gweinidog capel Bethesda. Ond ni chafodd Tom, yr un yr oedd yn well gan Mary fod efo fo na neb arall, fynd i'w hangladd, er iddo ddymuno hynny.

Wedi gohiriad arall, dychwelodd Thomas Jones unwaith eto o garchar Caernarfon ar y deunawfed o Fawrth. Ar bob gorsaf, rhwng Caernarfon a'r Blaenau, 'roedd tyrfaoedd wedi casglu yn y gobaith o gael ei weld, ond ni chawsant fawr o foddhad gan i'r swyddogion ofalu ei guddio rhagddynt. O orsaf y Blaenau aed ag ef mewn bws i'r Llys Ynadon, a oedd i'w gynnal mewn ystafell uwchben y Cocoa Rooms yn Heol yr Eglwys, llyfrgell y dref yn ddiweddarach.

Llys yr Ynadon/Llyfrgell Blaenau Ffestiniog

Nid oedd yno yr un cyfreithiwr i weithredu ar ran Thomas a gresynai Cadeirydd y Fainc, William Davies, Cae'r Blaidd, oherwydd hynny. Sicrhaodd yr Arolygydd Morgans ef fod rhieni Thomas yn awyddus iddo gael pob chwarae teg a'u bod am gyflogi cyfreithiwr i'w amddiffyn yn y Frawdlys.

Caniataodd y Cadeirydd i Thomas groesholi'r tystion. Pan awgrymodd y meddyg Richard Jones, wrth archwilio esgidiau Mary Bruton gerbron yr ynadon, y gallai'r clwyfau ar ei chorff fod wedi eu hachosi ag un o'r esgidiau hynny, neidiodd y carcharor ar ei draed, gan ddweud, 'Mae'r 'sgidia 'na mor ddiniwed â chi — a dyna ydi'r gwir'.

Mynnodd atgoffa'r Arolygydd Morgans iddo ddweud wrtho fel y bu iddo ddal pen bach Mary ar ei frest er mwyn ei harbed rhag ei tharo'i hun yn erbyn y ddaear. Dyna pam, meddai, yr oedd gwaed ar ei ddillad. Ond ni chafodd ei groesholi unrhyw ddylanwad ar y Fainc, ac wedi gwrandawiad o chwe awr cyhoeddodd William Davies iddynt benderfynu ei anfon i sefyll ei brawf ym Mrawdlys Dolgellau. Meddai Thomas Jones, wrth gyfarch yr ynadon am y tro olaf, "Does gen i ddim byd i'w ddeud ond 'mod i mor lân â chitha, a 'mod i'n ddieuog'.

Ni chafodd y dyrfa enfawr a arhosai amdano ond cip brysiog ar Thomas wrth iddo gael ei ruthro i'r bws, ond cawsant y pleser o glywed un o'r ynadon yn ateb, wrth i rywun holi beth oedd y ddedfryd, 'Beautiful murder; beautiful murder'.

Cadwodd teulu Thomas Jones yn ffyddlon i'w haddewid. Cafwyd cyfreithiwr i baratoi'r amddiffyniad a'r Bargyfreithiwr Ellis Jones Griffith, Aelod Seneddol Rhyddfrydol Môn, i bledio'i achos yn y Frawdlys yn Nolgellau.

Er bod ei fam yn hanu o Fôn a'i dad o Lanelltyd, ger Dolgellau, yn nhref Birmingham y ganed Ellis Jones Griffith. Symudodd y teulu i Frynsiencyn pan oedd Ellis yn bur ifanc. Cafodd ei addysg gynnar yno, ac yna aeth i Ysgol Holt, ger Wrecsam, ac ymlaen i golegau Aberystwyth a Chaergrawnt.

Pan oedd yn aros gyda rhai o'i berthnasau yn Frondirion, Dolgellau yn ystod haf 1878, ysgrifennodd at ei rieni yn dweud iddo fynd i fyny ei hunan cyn belled â'r Parc liw nos a gorwedd ar y bedd lle y claddwyd y ferch a lofruddiwyd. [3]

Deunaw oed oedd Ellis Jones Griffith bryd hynny. Yn 1898 'roedd bum mlynedd yn hŷn na Thomas Jones ac wedi'i alw at y Bar er un mlynedd ar ddeg. Yn ystod y dydd Llun hwnnw o Orffennaf, a bore trannoeth, gwnaeth ei orau glas i ennill pardwn i Thomas. Bu'n annerch y rheithgor am awr a hanner gan ymarfer ei ddawn ddiamheuol fel areithiwr ac actor.

Ceisiodd brofi i'r tyst Catherine Carrol newid y dystiolaeth a roesai yn y trengholiad, er mwyn pardduo rhagor ar y carcharor. Pa goel, holodd, a ellid ei roi ar eiriau un a gyhuddwyd, fwy nag unwaith, o bedlera heb drwydded ac un a gawsai ei dirwyo am fod yn feddw ac afreolus? Awgrymodd, hefyd, fod nifer o dystion eraill wedi derbyn cyfarwyddyd manwl ar beth i'w ddweud a'u bod yn rhoi eu tystiolaeth gerbron fel pe baen nhw'n adrodd eu pader.

Er iddo ganmol y meddygon am eu harchwiliad manwl, nid oedd eu barn hwythau chwaith yn anffaeledig, meddai. On'd oedden nhw wedi cyfaddef y gallai'r clwyfau fod wedi eu hachosi gan y wraig ei hun? Sut y gallai'r meddyg Richard Jones honni ei bod mor iach â'r gneuen pan oedd diffyg ar un o falfiau'r galon ac afiechyd ar y groth? Gallai anhwylder o'r fath achosi ysbeidiau o wallgofrwydd. Wedi marw o effaith sioc yr oedd hi, meddai'r meddygon, ond oni allai hynny fod wedi digwydd mewn canlyniad i godwm, yn dilyn un o'r pyliau gorffwyll?

Mynnai Ellis Jones Griffith, petai'r carcharor am ladd y wraig, y byddai wedi gwneud hynny ag un ergyd yn hytrach nag achosi'r holl glwyfau a oedd arni, saith ar hugain i gyd. Ac oni fyddai wedi ceisio cuddio'r corff? Gallai'n hawdd fod wedi dianc, ond dewisodd wneud popeth a allai iddi, ei rhoi i orwedd yn ofalus a thaenu dilladau drosti, cyn mynd i chwilio am help. A beth am y cadachau gwaedlyd y daeth yr Arolygydd Morgans o hyd iddynt? Onid wedi eu defnyddio i'w hymgeleddu hi yr oedd, i sychu'r gwaed a'r poer? Go brin y byddai unrhyw lofrudd wedi bod mor ffôl â gadael prawf o'i euogrwydd ym mhoced ei gôt.

Cyn terfynu, haerodd Ellis Jones Griffith i'r erlynydd, W. B. Yates, fethu'n llwyr â phrofi'r achos yn erbyn y carcharor ac apeliodd ar y rheithgor i ystyried yn ddwys fod bywyd Thomas Jones yn dibynnu'n gyfan gwbl ar eu dedfryd hwy.

Cawsai Thomas, hefyd, gyfle i ddweud ei ddweud. Glynodd wrth y stori a adroddodd wrth yr Arolygydd Morgans yn Bellevue, Ffestiniog, y bore hwnnw o Fawrth. ''Roedd hi'n ei thaflu ei hun yn erbyn y creigiau,' meddai. 'Mi wnes i fy ngorau i'w rhwystro hi rhag ei lladd ei hun. Dyna fi'n deud wrthi, "Fy ngeneth annwyl, paid â lladd dy hun''. Ond 'roedd hi'n dal i'w bwrw ei hun ar y creigiau. 'Roedd hi'n gryfach na fi. Fe ddaliodd ati nes 'ro'n i'n chwys domen. Mae'r Hwn sydd uchod yn gwybod popeth.'

Ond ni lwyddodd yr un o'r ddau i argyhoeddi'r Barnwr, Syr Alfred Wills. Er bod Mr. Ellis Jones Griffith i'w edmygu am ei amddiffyniad, meddai, stori gwbl annhebygol oedd un y carcharor. Byddai gofyn i'r wraig fod wedi cael nid un codwm, ond degau ohonynt, i achosi'r holl glwyfau. Nid oedd unrhyw dystiolaeth chwaith i brofi y gallai'r nam ar y groth, y gellid ei wella â thriniaeth, arwain i byliau o orffwylltra.

Yr un oedd barn unfryd y rheithgor, er iddynt gymryd awr i benderfynu hynny. Am hanner awr wedi un y prynhawn, gwisgodd y Barnwr Wills ei gapan du i gyhoeddi, a hynny o dan deimlad, fod Thomas Jones i gael ei grogi mewn canlyniad i'w weithred erchyll. Ni wyddai am ddim yn ystod ei oes ar y Fainc, meddai, a oedd wedi ei gyffwrdd mor ddwfn â thynged y ddynes druan, anffodus a arweiniwyd i fyny'r mynydd yn y tywyllwch, i'w thranc.

Ond i'r rheithwyr yn Nolgellau,
  Nid oedd dim a ddywedai ef
Yn cael lle yn eu calonnau,
  Gan 'ynt ddod a rheithfarn gref:
Wilful Murder oedd y ddedfryd,
  Gwaeth nis gallai rheithfarn fod,
Ac yn awr fe saif yr adyn,
  Cyfwng arall sydd yn dod.

Cafodd dreial teg a gonest,
  A gwnaed bobpeth ar ei ran,
Gwnaeth cyfreithwyr hyn a allsent
  I'w amddiffyn rhag un cam;
Ond yn ofer fu pob ymdrech,
  Euog cafwyd ef yn wir,
Ac yn awr nid oes ond crogbren
  Yn ei aros yn y tir.[2]

Cerddodd Thomas Jones yn gadarn allan o'r doc, ond erbyn iddo gyrraedd yn ôl i Gaernarfon yr oedd yn amlwg fod y ddedfryd wedi effeithio'n fawr arno a gofynnodd a fyddai'n bosibl iddo gael ei grogi trannoeth. Yn y cyfamser, 'roedd heddlu dosbarth Ffestiniog yn ymhyfrydu yn y clod a gawsent gan y Barnwr Wills. Wedi'r Frawdlys, galwodd y Barnwr yr Uchgapten Best, prif gwnstabl y sir, ato i'w longyfarch ar ei ddynion, gan roi teyrnged arbennig i'r Arolygydd Morgans a'r Heddgeidwad David Jones, rhif 10.

Nos Fawrth yr ail o Awst, bu Billington, y crogwr cydwybodol, yn sbecian drwy dwll bach yn nrws y gell tra oedd un o'r swyddogion yn cael gan Thomas Jones dynnu'r cadach a oedd am ei wddw, er mwyn gwneud yn siŵr o faint y ddolen. Yn ddiweddarach, aeth ati i roi prawf ar y crogbren gyda sach wedi ei llenwi â phwysau.

Fore Mercher, wedi i gaplan y carchar, y Parchedig J.W. Wynne Jones, gynnal gwasanaeth byr, arweiniwyd Thomas Jones o'i gell i dŵr y carchar. Yn wahanol i William Griffith[4], ni cheisiodd atal Billington rhag rhoi'r rhaff am ei wddw, na'r Billington iau rhag clymu'i freichiau a'i goesau. Ni roddodd ond ochenaid fach wrth weld y crogbren, dyna'r cyfan. Am bum munud i wyth, clywyd cnul cloch eglwys y Santes Fair ac am ddau funud wedi'r awr, gwelwyd y faner ddu yn cyhwfan, yn arwydd i'r dyrfa enfawr a oedd wedi ymgynnull fod y cyfan drosodd.

Bedd Mary Bruton ym mynwent Bethesda, Blaenau Ffestiniog

122

Er iddo fynnu, hyd y diwedd, ei fod yn ddieuog, derbyniodd ei dynged yn dawel a digyffro. Yn ystod ei ddyddiau olaf ni fu unrhyw ball ar ei gysgu na'i fwyta. Câi flas arbennig ar ei bibell a'r peint o gwrw a ganiateid iddo gyda'i swper bob nos. Anfonodd neges i'w wraig yn gofyn a gâi ei gweld ond troi clust fyddar ar ei apêl a wnaeth hi. Pan ddaeth ei rieni, ei frodyr a'u teuluoedd i'r carchar i'w weld fore Mawrth, dywedodd wrth William ei frawd ei fod yn barod i farw ac y byddai'n well allan arno wedi iddo adael y byd hwn. 'Fyddwn i ddim yn newid lle efo ti, William, er y gwn i y bydda' i farw fory,' meddai. Ni chafodd ei ddymuniad o gael ei roi i orffwys efo Mary. Fe'i claddwyd yn iard y carchar a rhoddwyd carreg i ddynodi'r fan ac arni'r arysgrif moel, 'T.J.: 3.8.89'.

Ond gwelodd rhywun yn dda roi llawer amgenach arysgrif ar fedd Mary Bruton ym mynwent Bethesda, Blaenau Ffestiniog:

> Er serchog gof am
> Mary Bruton
> Amlwch.
> a fu farw Mawrth 2: 1898.
> yn 33 mlwydd oed.
>
> Tro ataf a thrugarha wrthyf; canys unig a thlawd ydwyf.
> Gofidiau fy nghalon a helaethwyd: dwg fi allan o'm cyfyngderau
> Gwel fy nghystudd a'm helbul, a maddeu fy holl bechodau.
> Salm 25: 16. 17. 18.

Saith mlynedd yn ôl, drylliwyd y garreg honno, ond rhoddwyd un arall yn ei lle. Yn 1932, codwyd gweddillion Thomas Jones o'r bedd yn iard y carchar, er mwyn adeiladu Canolfan Weinyddol y Sir, a'u hailgladdu ym mynwent Llanbeblig. [5]

Ni ddangoswyd unrhyw drugaredd tuag at y llofrudd du, er holl ymdrech Ellis Jones Griffith ac er i'r gohebwyr a oedd yn y llys brotestio fod y ddedfryd yn un anghyfiawn. Pwy ŵyr beth a ddigwyddodd ger chwarel y Graig Ddu ar fynydd y Manod yn oriau mân y bore rhynllyd hwnnw o Fawrth. Aeth Thomas Jones â'r gyfrinach i'w ganlyn, i'w roi ei hun ar drugaredd yr Hwn sydd uchod, yr un a wyddai'r cyfan.

> Gwaed am waed sy'n uchel waeddi,
>   Ac fel cynt mae'r waedd yn gref,
> Euog ydyw o'r Anfadwaith,
>   Syrthiodd arno folltau'r Nef!

123

Eto mae yng nghyrraedd maddeu
Trwy bod teg trugaredd rad
Yn fwy cryf na phur cyfiawnder
A holl Farnwyr ucha'r wlad.* [1]

NODIADAU

[1] Gweler stori Mary Jones—'Ellen Fwyn'
[2] Baled: Y Llofruddiaeth yn Ffestiniog. Y Carcharor wedi ei gondemnio i Farwolaeth.
[3] Gweler stori Cadwaladr Jones—'Gwlad y menyg gwynion'
[4] Gweler stori William Griffith — 'O Jericho i Niwbwrch'
[5] Gweler stori John Roberts — 'Be wna' i â'r gwsberis?'

GWERTH CEINIOG
William Murphy
1909

Yr agoriad i Cae Star, Bethesda

Ar 25 Rhagfyr, 1909, nid oedd gan yr hen John Parry, 21 Cae Star, Bethesda a Gwladys, ei wyres dair ar ddeg oed, fawr o achos dathlu wrth iddynt fwyta'u cinio Nadolig o grystyn sych. Ond yr oedd gwaeth i ddod.

Drannoeth, daeth y Rhingyll Roberts i'r tŷ i hysbysu John Parry o farwolaeth ei ferch, Gwen Ellen Jones. Pan ychwanegodd, yn betrus, mai wedi ei llofruddio yr oedd hi, ni ddangosodd yr hen ŵr unrhyw syndod. Nid oedd raid iddo holi pwy oedd yn gyfrifol chwaith. Onid oedd y dyn hwnnw wedi dweud wrtho yng nghlyw Gwladys, yno yng Nghae Star ryw wythnos yn ôl, y byddai'n lladd Gwen Ellen os y gwelai hi efo dyn arall? Dyna pam y dywedodd wrtho ei bod hi a Morris Jones, ei gŵr, wedi mynd i Landdona i chwilio am dŷ, er ei fod yn gwybod yn burion mai am Gaergybi yr oedd hi'n anelu.

'Roedd o wedi ceisio dychryn Gwladys a'i chael i addo'i gyfarfod y Sadwrn canlynol ar ben grisiau'r Blue Bell, ond bu'r eneth yn ddigon hir ei phen i ddweud y byddai ei thad yn ôl erbyn hynny. Nid oedd ganddo yntau lai na'i ofn. Gallai fod wedi dal ei dir efo fo, er ei faint, rai blynyddoedd yn ôl, ond 'roedd henaint a diffyg maeth wedi pylu nerth yr hen filwr. Gwyddai John Parry'n eitha' da nad oedd dim a ddywedai Gwladys nac yntau'n debygol o gael unrhyw effaith. Byddai'r dyn hwnnw'n siŵr o ddod o hyd i Gwen, fel bob tro arall. Ond 'doedd o fawr feddwl, ar y pryd, y byddai'n troi ei fygythiad yn weithred.

'Mae arna' i ofn y bydd yn rhaid i'r ddau ohonoch chi fynd i Gaergybi,' meddai'r Rhingyll.

'Fedra' i ddim fforddio mynd allan o'r tŷ 'ma,' mynnodd John Parry. 'P'run bynnag, 'does 'na ddim byd fedar neb 'i 'neud i Gwen Ellen bellach.'

'Ond mi fydd eich angen chi, fel tystion.'

Syllodd yr heddgeidwad o'i gwmpas ar y waliau llaith, y lle tân oer a'r bwrdd gwag.

'Siawns na fedrwch chi gael rhywfaint o gynorthwy plwyf, John Parry,' meddai.

'A cholli 'mhensiwn yn y fargan?'

'Ia, wel, mi edrycha' i be fedra i 'i 'neud.'

Bu'r Rhingyll yn driw i'w air. Erbyn dydd Llun, y trydydd o Ionawr, 1910, 'roedd wedi llwyddo i gasglu swm da o arian, a chychwynnodd John Parry a Gwladys am Gaergybi i fod yn dystion yn llys yr ynadon.

Yno, cafodd William Murphy, labrwr yn tynnu am ei hanner cant, a chyngorporal gyda'r Royal Anglesey Engineers, ei gyhuddo o lofruddio Gwen Ellen Jones ar nos Nadolig, 1909.

Saesneg oedd iaith William Murphy. Ni wyddai neb fawr o'i hanes, ond mae'n bur debyg ei fod yn hanu o Iwerddon ac wedi dod i Fôn, fel cannoedd

William Murphy

Gweithwyr ar y rheilffordd rhwng Gaerwen a Benllech

o rai eraill, i geisio ennill bywoliaeth. Bu'n gweithio am gyfnodau yng ngwaith clai Mynydd Twr a gwaith dŵr Caergybi, yn adran y nwyddau yng ngorsaf Caergybi, ac ar y rheilffordd rhwng Gaerwen a Benllech. Yn ei golofn *Llith o'r Eryri* yn *Y Genedl Gymreig*, tystiai Carneddog ei fod yn adnabyddus iawn yn y parthau hynny gan iddo fod yn gweithio am gyfnod hir ar ffordd haearn Beddgelert. 'Roedd gan bob un o'i gyd-weithwyr air da iddo, fel un clên a pharod ei gymwynas. Ond er bod ganddo ddigon o nerth braich, 'roedd ei ddeallusrwydd braidd yn brin a'i synnwyr moesoldeb yn brinnach fyth.

Cofiai'i gyd-filwyr yn y militia amdano fel un nad oedd arno ofn na dyn na diafol. Unwaith, 'roedd un o'r dynion, wedi cael boliad o gwrw, yn bygwth rhoi bidog drwy unrhyw un a feiddiai fynd i mewn i'w babell. Pan ddaeth Murphy yno i weld be' oedd yn digwydd, rhybuddiodd y swyddogion ef i fod yn ofalus. 'Bayonet be hanged,' meddai yntau. Aeth i mewn i'r babell, ac ailymddangos mewn eiliad neu ddwy a'r dyn yn gwbl ddiymadferth yn ei afael.

Credai rhai iddo fod yn ddigon caredig tuag at Gwen Ellen yn ystod y byw ysbeidiol a fu rhyngddynt. Ond mynnai John Parry iddo dorri ei hesgidiau â chyllell unwaith a'i bygwth â chyllell dro arall, a'i fod wedi ei tharo a'i chicio sawl tro.

'Welsoch chi fi'n ei chicio hi erioed?' holodd Murphy yn y llys.

129

Cyfaddefodd yr hen ŵr nad oedd wedi gweld hynny, ond iddo ei chlywed hi'n dweud.

'Ah! Dim ond clywed, ia?' meddai Murphy, cyn troi at y Barnwr a gwên ar ei wyneb, ac ychwanegu, 'Fe wnaiff hynna'r tro am rŵan, Syr'.

Er bod Gwen Ellen yn tynnu am ei deugain a chyn dloted â llygoden eglwys, nid oedd yn brin o gwmni. Câi ei hadnabod ym Methesda fel 'watercresses'. Nid oedd ganddi gartref sefydlog. 'Roedd ei gŵr, Morris Jones, yn byw yn Llanfairfechan a bu Gwen Ellen, o fis Tachwedd ymlaen, yn cyd-fyw â dyn o'r enw Robert Jones yn rhif 51 Baker Street, Caergybi, un o heolydd tlotaf y dref. Byddai'n treulio'i dyddiau'n hocio nwyddau o dŷ i dŷ neu'n cardota hyd strydoedd Caergybi gyda'i mab saith oed, a'i min nosau yn y Bardsey Island Inn.

> Anffortunus oedd y ddynes
>   Yn ei dull a math o fyw,
> Dilys iddi lwyr anghofio
>   Dyledswyddau pur ei rhyw,
> Dewis ffryndiau o'r fath isaf,
>   Cymdeithasu a phob math,
> Dyma'r llwybr i waradwydd, —
>   Pleser gau yn pery brath.

Gwen Ellen Jones

Ond er iddi aml wyro
  O ffyrdd rhinwedd, diogel, pur,
Ac ymlwybro yn y ffosydd
  Ddygai iddi aml gur,
Trwm i'w meddwl iddi syrthio —
  Aberth i gynddaredd un
A feddianai yn ei natur
  Fwy o'r blaidd na theimlad dyn. [1]

Ond yr oedd gan William Murphy, yn ei ffordd ryfedd ei hun, gryn feddwl ohoni. Ac er i John Parry geisio ei gamarwain, daeth o hyd iddi, fel y gwnaethai sawl tro cyn hynny. Yr oedd cael ar ddeall ei bod yn cyd-fyw â Robert Jones wedi ei gythruddo'n arw, fodd bynnag, ac fe'i clywyd yn bygwth y byddai'n gwneud amdani ac na fyddai byw i fwyta'i chinio Nadolig os na chytunai i adael 'yr hen ddyn yna' a mynd i'w ganlyn ef i'r De. 'Roedd ef, meddai, wedi anfon arian iddi pan oedd yn gweithio yn Swydd Efrog, a dyma hi rŵan yn cadw'r diogyn yma ac yn talu am ei lety o'i henillion wrth gardota.

Amlwg yw yn ol tystiolaeth
  Roddwyd yn y farnol lys,
Fod y dyn a'i fryd ar fwrdro
  Os nad boddio wnai ei flys;
Ceisiai ganddi fyn'd ar fyrder
  Gydag ef i'r Deheu draw,
Ac oherwydd ei gwrthodiad—
  Wele ffrwyth ei greulon law. [1]

Ar Ragfyr yr ugeinfed, dywedodd William wrth y Rhingyll Henry Roberts, ar y ffordd yng Nghaergybi, y byddai'n 'ei rhoi hi' i Gwen Ellen Jones am wneud tro gwael ag ef a gadael ei phlentyn ym Methesda. 'Roedd wedi colli ei streipiau o'i hachos hi, meddai, ac yntau wedi bod yn y militia am ddeng mlynedd, yn gorporal ac yn heddwas milwrol. Ond ei ddynes o oedd hi, ac ni allai ddioddef ei gweld yn rhannu gwely efo dyn arall.

Y bore Llun cyn y Nadolig cafodd Murphy frecwast efo Gwen Ellen a Robert Jones, a rhwng hynny a'r Sadwrn bu Gwen ac yntau'n treulio oriau yng nghwmni'i gilydd. Fe'u gwelwyd un noson yn cerdded i fyny Wynne Street fraich ym mraich, y ddau mewn hwyliau da ac yn canu dros y lle.

Cafodd Gwen Ellen fyw i fwyta'i chinio Nadolig, ac 'roedd hwnnw ychydig yn fwy sylweddol na chrystyn sych ei thad a'i merch fabwysiedig. Tua chwech o'r gloch y noson honno, aeth Elizabeth Glynne Jones, a oedd yn rhannu'r un llety, a hithau allan am dro. Bu Murphy'n chwilio amdani yn y tŷ, ond pan

131

alwodd Gwen a Lizzie yn y Bardsey Inn yn Newry Street am y gwin port arferol, 'roedd Murphy a John Jones, neu Johnny Fflamiau fel y câi ei adnabod yng Nghaergybi, ac un arall o letywyr Minnie Hughes yn 51 Baker Street, yno'n eu haros. Mynnodd Murphy ei fod eisiau gweld Gwen Ellen ar ei phen ei hun a hysiodd Lizzie i ffwrdd pan geisiodd honno eu dilyn. Aeth hithau'n ôl am ei llety, heb fawr feddwl na welai Gwen Ellen byth wedyn.

Ychydig wedi naw, dychwelodd Murphy, ei hunan, i'r Bardsey Inn. 'Roedd cripiadau a gwaed ar ei wyneb.

'Be sy'n bod arno fo?' holodd, pan dynnodd Gwladys Price Jones, merch y trwyddedwr, a rhai o'r potwyr lleol, ei sylw at hynny. Wedi iddo gael cip arno'i hun yn y drych, tynnodd gadach o'i boced i sychu'i wyneb, ond heb fawr o effaith, gan fod y cadach hwnnw'n socian o waed. Wedi iddo yfed ei gwrw, fel pilsen, gadawodd y dafarn ac aeth i'w lety yn rhif 40 Baker Street.

Yno, gwerthodd ei fwyd am ddwy geiniog i hen ŵr unllygeidiog a'i gôt i un o'r enw Kelly am dair ceiniog. Parodd i hwnnw styrio efo'r arian, gan ei fod ar frys.

'Gobeithio y gnewch chi ddweud amdana' i fel y cawsoch chi fi,' meddai wrth John Murray, ei gyd-letywr.

'Alla' i wneud dim amgenach,' atebodd yntau.

Wrth adael, trodd Murphy at Murray, ac meddai, 'Mi wnes i beth o'i le heno'.

Pan ddychwelodd Lizzie Jones a Johnny Fflamiau i rif 51, 'roedd William Murphy'n eistedd ar y gwely.

'Be' wyt ti wedi'i wneud i dy wyneb?' holodd Lizzie Jones.

'Wedi bod yn cwffio efo dau ddyn ydw i.'

'A lle mae Gwen Ellen gen ti?'

'Mi wyt ti wedi gweld Gwen am y tro olaf. Mae hi'n iawn.'

Dechreuodd y bachgen bach grio am ei fam. Rhoddodd Murphy geiniog iddo a pheri i'r ddau ofalu na fyddai'n brin o fara. Gwasgodd ei fab bach i'w gôl, a'i gusanu.

''Does gen ti 'run fam,' meddai.

Yna cododd oddi ar y gwely, a dechrau dawnsio. Gofynnodd i Johnny Fflamiau fynd i nôl plismon, ond mynnai hwnnw nad oedd Murphy'n ddigon meddw i fod angen gwneud hynny.

'Mae hyn yn llawer gwaeth,' mynnodd yntau. 'Mi 'dw i am iti ddod allan efo fi. Mae gen i job iti.'

Aeth Johnny i ddilyn Murphy drwy gefn y tŷ a thros y clawdd i gae agored lle'r arferai plant y dref chwarae cyn i'r Cyngor Dosbarth agor carthffos fawr drwyddo. Cip yn unig a gafodd Johnny Fflamiau ar y corff yn y ffos cyn iddo redeg, yn driw i'w enw, am swyddfa'r heddgeidwaid yn gweiddi 'Mwrdwr'.

Gorsaf yr heddgeidwaid, Caergybi

'Roedd Murphy yno ar ei sodlau bron. Pwyntiodd Johnny Fflamiau ato gan ddweud, 'Dyna fo'r dyn'.

'Chwilio amdana' i ydach chi, Sarsiant?' holodd William. Cerddodd i mewn i'r swyddfa, ac meddai, ''Rydw i wedi dod i roi fy hun i fyny i chi, gan 'y mod i wedi lladd dynes drwy dorri'i gwddw hi efo cyllell. Mi ddo' i efo chi i ddangos y corff, os liciwch chi.'

Arweiniodd y Rhingyll at ffos yn agos i Walthew Avenue, ychydig bellter oddi wrth dŷ bonheddwr o'r enw Capten Tanner.

Wedi cael ffrae yr oedden nhw, yn ôl Murphy. 'Roedd Gwen Ellen yn chwil ulw, ac yn cael trafferth i sefyll ar ei thraed. Er iddi haeru ei bod yn hoff ohono, nid oedd yn barod i fynd i'w ganlyn. Am fynd yn ôl i Fethesda yr oedd hi, meddai hi. Parodd Murphy iddi dynnu'r mwff bach ffwr oedd ganddi am ei gwddw, ac wrth iddi fustachu i geisio agor y bachyn pwysodd ei fawd chwith yn erbyn ei llwnc, gan geisio'i thagu. Er iddi frwydro'n galed yn ei erbyn — 'roedd hi, yn ôl Murphy, bron cyn gryfed ag ef — llwyddodd i ddal ei law dde yn erbyn ei cheg nes ei bod yn llipa. Yna, torrodd ei gwddw â chyllell a'i llusgo ychydig bellter gerfydd ei gwallt, cyn ei thaflu i bwll o ddŵr, er mwyn gwneud yn siŵr ei bod yn farw.

133

'Ydach chi am imi ddweud hyn i gyd o flaen yr ynadon?' holodd y Rhingyll Roberts, wedi i Murphy orffen ei ddatganiad.

'Mi gewch wneud fel mynnoch chi. Ond os na wnewch chi, mi fydda' i'n dweud wrthyn nhw,' atebodd yntau.

Tystiodd y Rhingyll yn llys yr ynadon fod Murphy'n hollol sobor pan ildiodd i'r heddlu, ac na cheisiodd gelu dim. Dywedai mai eiddigedd oedd yn gyfrifol am y trosedd a'i fod yn caru Gwen Ellen yn angerddol. 'Roedd yn ymhyfrydu yn yr hyn a wnaeth, meddai, nid oherwydd ei fod wedi ei ladd, ond am na allai hi, bellach, roi ei serch i'r un dyn arall.

Pan aeth y Rhingyll Owen Roberts i'w weld yn ei gell drannoeth, meddai Murphy wrtho, ''Rydw i wedi gwneud Nadolig hapus i mi fy hun, yn do?'

'Mae'n ymddangos felly,' atebodd y Rhingyll. 'Mae'n ddrwg gen i drosoch chi, William Murphy.'

''Dydi o ddim yn ddrwg gen i,' meddai yntau. ''Rydw i'n falch uffernol 'y mod i wedi'i ladd hi. Mi ga' i rywfaint o orffwys rŵan.'

Haerodd ei fod wedi bwriadu ei ladd ddwywaith, yn ystod arddangosfa flodau fawr ym Miwmares, a'r dydd Iau cyn y Nadolig, pan oedden' nhw'n begera yn fferm Tregof. Ond 'roedd y bachgen bach efo nhw, ac ni fynnai iddo ef fod yn dyst o hynny.

> Hudodd hi i le o'r neilldu
>   I gyflawni'r weithred erch,
> A llaw greulon, modd dieflig,
>   Lladdodd yr anffodus ferch;
> Prawf ei gyffes i'r heddgeidwaid
>   Roddwyd ganddo yn oer a chlir,
> Mai anghenfil gwaedlyd ydyw—
>   Y creulonaf yn y tir.[1]

Ddydd Llun, y trydydd o Ionawr, pan ddygwyd ef o Gaernarfon i sefyll ei brawf yn llys yr ynadon, camodd William Murphy'n hoenus o'r trên yng ngorsaf Caergybi. Er ei fod mewn gefynnau yng ngofal dau wyliwr ac er bod y dyrfa enfawr yn hisian a hwtio, 'roedd gwên ar ei wyneb. Cerddodd i mewn i'r llys a'i gap am ei ben, ac eisteddodd yn hamddenol a naturiol. 'Roedd Mr. Thornton Jones yno i erlyn, o dan gyfarwyddyd y plismyn, ond ni chafwyd neb i amddiffyn William Murphy. Yn ystod y gwrandawiad, fodd bynnag, mynnodd gael holi'r tystion, gan gyhuddo pob un ohonynt o ddweud celwyddau amdano.

> Yn y llys yn nhref Caergybi,
>   Pan y dygwyd ef gerbron,
> Ymddangosai yn ddidaro
>   Ac ar brydiau gwenai'n llon;

Yn ddigwilydd heriai'r tystion,
    Gwawdlyd oedd mewn llawer dull;
Nid yw'n syn i'r rhai oedd yno
    Fygwth iddo driniaeth hyll. [1]

Bu'n wawdlyd iawn o'r hen John Parry a chwarddai'n uchel am ben rhai o'i atebion.

'Dywedwch wrtho am fod yn ofalus, a chofio'i fod ar lw,' meddai'n haerllug.

Gofynnodd yr hen ŵr am gael cyfieithu'r cwestiynau i'r Gymraeg, ond yn ddiweddarach, pan gyfeiriodd at rywbeth a ddywedodd Murphy wrtho, meddai'r Barnwr, 'Very well, let him speak to us in English. If he can talk to Murphy in English, he can talk to us in English.'

Ailadroddodd John Parry'r geiriau, mewn Saesneg da, ond mynnai na allai siarad Saesneg, er ei fod yn deall yr iaith.

Rhoddodd Gwladys fach ei thystiolaeth yn glir, er mai prin y gellid ei gweld yn y bocs. Pan ddywedodd, mewn ateb i gwestiwn Murphy, iddi ddweud ei bod yn disgwyl ei thad yn ôl i Fethesda oherwydd fod arni ei ofn ef, dechreuodd y gwylwyr hwtian yn uchel. Torrodd Gwladys i grio, gan dybio mai hi oedd o dan wawd, a rhybuddiodd y Cadeirydd y byddai'n rhaid clirio'r llys os na allent ymddwyn yn weddus.

Daeth Robert Jones o dan lach Murphy, fwy nag unwaith. Nid oedd unrhyw ddiben gofyn dim iddo, meddai, gan na wyddai'r gwahaniaeth rhwng gwir a chelwydd. Ni roddai goel ar dystiolaeth Johnny Fflamiau chwaith. 'Dyma ddyn sy'n fodlon tyngu bywyd dyn arall i ffwrdd', meddai.

Pan soniodd Johnny fel y bu i Murphy rannu'r ddau chwart o gwrw yr anfonodd allan amdano noswyl Nadolig yn llond pot jam iddo'i hun a chwpaned fach rhwng y gweddill, llanwyd y llys â chwerthin a Murphy'n ymuno, yn uwch ei gloch na neb. Mewn canlyniad i hynny, rhoddodd y Crwner orchymyn i'r heddgeidwad droi'r holl ferched a'r plant allan o'r llys gan ddweud y dylai fod arnynt gywilydd a'i fod yn ofni nad oedd y carcharor yn sylweddoli difrifwch ei sefyllfa.

Ond nid oedd y croesholi a'r cyhuddiadau'n ddim wrth y ffrae a ddatblygodd rhwng Murphy a Lizzie Jones. Nid oedd ganddo unrhyw feddwl o'r 'ginger piece', fel y galwai ef hi, a bu'n rhybuddio Gwen Ellen, lawer tro, i gadw'i phellter oddi wrthi. Wedi iddo glywed Lizzie Jones yn tystio fel y bu i Gwen ddweud wrthi fod Murphy wedi dangos cyllell a rhaff iddi ac wedi bygwth ei lladd, neu ei chrogi, ac iddo yntau ei holi'n ffyrnig, heb gael atebiad boddhaol, meddai: 'Dyna'r wraig a achosodd 'i marwolaeth. Pan welais i hi efo Gwen Ellen Jones, mi wyddwn 'i bod ar ben arni. Mi wyddwn mai un

135

ddrwg oedd hi o'r blaen, ond pan welais i hi efo hon, mi wyddwn 'i bod hi'n waeth.'

Bu'r ddau'n cyhuddo'i gilydd o lunio celwyddau, gan anwybyddu apêl y Fainc.

'Ers pryd yr ydach chi'n gallu siarad Saesneg, Lizzie Jones?' holodd Murphy, yn wawdlyd.

'Mae gen i ddigon o Saesneg i allu delio efo chi,' atebodd hithau.

'Ac i ddweud celwyddau.'

'Y chi sy'n dweud celwyddau. Mae crogi'n rhy dda i chi.'

'Mi wn i hynny. Ond ni adawa' i garictor i chi cyn mynd, beth bynnag. 'Rydw i wedi dod yma i ddweud y gwir, ac nid i gelwydda am ychydig geiniogau, fel chi.'

'Rhaid i chi'ch dau beidio ffraeo fel hyn. Allwn ni ddim caniatáu peth felly,' rhybuddiodd y Cadeirydd, pan lwyddodd i gael gair i mewn.

'Ia, rhaid inni beidio syrthio allan â'n gilydd, debyg,' meddai Murphy, â gwên. ''Dydi'i thystiolaeth hi'n ddim ond pentwr o gelwyddau o'r dechrau i'r diwedd. Waeth imi heb â holi rhagor arni.'

'O, na waeth,' atebodd hithau. 'Mae 'nhystiolaeth i'n rhy dda i chi.'

Wrth iddi adael y bocs, trodd Lizzie Jones at Murphy, yn y doc, a gweiddi 'Celwyddgi' nes bod y lle'n diasbedain.

Nid oedd Murphy yn fyr o groesholi'r heddgeidwaid chwaith gan fynnu eu bod hwythau'n ffugio tystiolaeth, ac meddai wrth yr Uwch-arolygydd Prothero, pan ddywedodd hwnnw iddo gyffesu wrtho y nos Sul wedi'r llofruddiaeth, 'Peidiwch â dweud celwyddau. 'Rydach chi wedi rhoi hyn i gyd at ei gilydd yn rhagorol; dyna'r cwbwl ddyweda' i. Mae'n rhaid eich bod chi wedi cael addysg dda.'

Wedi i'r meddyg Clay dystio mai wedi cael ei mygu i farwolaeth yr oedd Gwen Ellen a bod y gyllell wedi torri drwy'r bibell wynt, y bibell fwyd a'r rhydweli hyd at yr asgwrn cefn, darllenodd Clerc y Llys y cyhuddiad a gofyn, yn ôl yr arfer, i William Murphy a oedd ganddo rywbeth i'w ddweud.

'Nag oes, dim,' atebodd. 'Mi ddyweda' i'r hyn sydd gen i i ddweud yn fy mhrawf, ond mae arna' i eisiau galw'ch sylw chi at y gwahaniaeth rhwng tyst-iolaeth y pedwar tyst cyntaf.'

Ond ni chymerodd yr ustusiaid fawr o sylw ohono. 'Roedden nhw'n ôl, mewn munud neu ddau, a'r Crwner yn hysbysu Murphy ei fod i sefyll ei brawf ym Mrawdlys Biwmares ar 26 Ionawr ar gyhuddiad o lofruddiaeth wirfoddol.

'Da iawn, syr,' meddai yntau. 'Pythefnos arall o orffwys.'

Ar ddiwedd y gwrandawiad, gwnaeth yr Uwch-arolygydd Prothero apêl ar ran yr hen John Parry. Yr oedd yn awr yng Nghaergybi, meddai, heb arian i brynu bwyd na thalu am lety, a dau blentyn yn ei ofal. Mewn ymateb i'r apêl honno, gwnaeth y rheithwyr gasgliad i'r mwynwr a'r cyn-filwr a ofnai wneud cais am gynhorthwy plwyf rhag iddo golli ei dipyn pensiwn.

Pan aed â William Murphy o orsaf yr heddlu i orsaf yr rheilffordd mewn cerbyd, 'roedd tyrfa o dros fil a hanner yn aros amdano ac yn hisian yn gyffrous. Anafwyd amryw o blant yn y rhuth a bu'r plismyn yn eu gwaith yn ceisio rhwystro'r bobl rhag ymosod arno. Digwyddodd yr un peth pan gyrhaeddodd Gaernarfon. Ond 'roedd William Murphy ei hun yn gwbwl ddigyffro, a phan gyfarfu â'r Crwner a oedd, awr ynghynt, wedi ei ddedfrydu i sefyll ei brawf, nodiodd arno a gwenu'n glên.

Ac yntau wedi cael pythefnos helaeth o orffwys, dychwelodd William Murphy i Fôn o garchar Caernarfon mewn cerbyd caeedig, yn cael ei dynnu gan ddau geffyl. Er bod y derbyniad ym Miwmares yn fwy gelyniaethus nag un Caergybi hyd yn oed ac i un dyn weiddi 'rats' wrth i Murphy gael ei arwain i mewn i'r llys, nid oedd hynny i'w weld yn mennu dim arno.

'Roedd y tyrfaoedd wedi heidio i Fiwmares o bob cwr o'r sir, mewn breciau a throliau a wagenni, ac ar droed, a gwnaeth stemar Bangor elw sylweddol iawn y diwrnod hwnnw. Ni fu erioed ddrwg na fu'n dda i rywun.

Tra arhosid i ddrws y llys gael ei agor — y drws unigryw hwnnw nad oedd yr un hoelen ynddo — bu trafod helaeth ar yr achos a chytunai pawb ei bod wedi darfod ar Murphy. Nid oedd achos mor ddifrifol â hwn wedi ei wrando ym Miwmares er mis Mawrth, 1862, pan gyhuddwyd Richard Rowlands, yr olaf i gael ei grogi yng ngharchar newydd Biwmares, o ladd ei dad yng nghyfraith yn Llanfaethlu.[2]

I Beaumaris, dydd y treial,
 Llifai lluoedd o bob parth,
Awydd isel gweled gwyneb
 'Rhwn a barodd y fath warth;
'Roedd y dawel, ddistaw dreflan
 Wedi ei meddu yn mhob man
Gan finteioedd ddelai yno
 Ac a diriant at ei glan.[1]

Yn *Y Clorianydd*, yn dilyn hanes y treial hwnnw, caed adroddiad am lofruddiaeth arall, bur wahanol i lofruddiaeth Caergybi, ond yr un mor erchyll. Tra oedd yn gweithio i'r Llywodraeth fel rhagredegydd ar ran y weinyddiaeth leol i Indiaid yr Andes, lladdwyd Llwyd ap Iwan gan y brodorion yn yr Andes. 'Roedd yn fab i Michael Jones, y Bala, ac yn briod â chwaer Eluned Morgan, y Wladfa.

Gan fod yr ystafell lle cynhelid y llys yn un mor fechan, bu brwydro caled am le, ond llwyddodd nifer helaeth o ferched i wthio'u ffordd i mewn. Cyn iddynt gael cyfle i setlo, fodd bynnag, mynnodd y Barnwr, Syr William Pickford, fod yr achos yn cynnwys nifer o fanylion erchyll, a'u gorfodi i adael.

Llwyddodd rhai dynion i ddringo'r waliau a gwthio'u pennau i mewn trwy'r ffenestri. Ceryddodd y Barnwr un ohonynt, gan ddweud, 'Os ydi'r bonheddwr acw, sydd â'i ben drwy'r ffenestr, am wrando'r achos, fydd o cystal â thynnu'i het?'

Bu'n rhaid iddo, hefyd, alw am dawelwch sawl tro a bygwth clirio'r llys, gan fod y gwellt, a oedd wedi'i daenu ar y llawr cerrig i geisio pylu'r sŵn traed, wedi profi'n hollol aneffeithiol.

Cerddodd William Murphy'n benuchel i mewn i'r llys, a phledio'n ddieuog mewn llais clir a di-ofn, er mawr syndod i bawb. Ymddangosai'n gwbwl ddidaro a chaeai ei lygaid bob hyn a hyn, fel petai wedi diflasu'n llwyr ac ar fin syrthio i gysgu. Yna, agorai hwy'n araf, gan giledrych yn llywaeth ar y Barnwr.

Ar y Fainc, yr oedd Mr H.R. Davies, yr Uchel-siryf, nai Mr Robert Davies, Bodlondeb a oedd yn Uchel-siryf Môn pan ddedfrydwyd Richard Rowlands i gael ei grogi. Gwaith cymharol hawdd oedd gan yr erlynwyr, Mr. Ellis Jones Griffith a Mr. Trevor Lloyd. Y mis Ionawr hwnnw, 'roedd pwysau mawr ar Ellis Jones Griffith, gan ei fod yn ymladd yr Etholiad Cyffredinol yn ogystal â dilyn ei waith fel Bargyfreithiwr. Llwyddodd i gadw'i sedd gyda mwyafrif o 3452 o bleidleisiau.

Nid oedd gan Mr Austin Jones fawr o dir dan ei draed wrth iddo amddiffyn y carcharor ar gais y Barnwr, er iddo wneud ymdrech deg i geisio perswadio'r rheithgor nad oedd Murphy'n gyfrifol am ei weithred.

Yr un oedd tystiolaeth John Parry a Gwladys, Robert Jones a Johnny Fflamiau a Lizzie Jones, yr heddgeidwaid a'r Uwch-arolygydd, a chawsant roi'r dystiolaeth honno heb ymyrraeth. Dangoswyd y gyllell y daeth Sidney James Perkins, Spencer Terrace, o hyd iddi o fewn rhyw wyth llath i'r corff, a thystiodd Arthur Bilingfield, un arall o'i gyd-letywyr, mai honno oedd y gyllell a ddefnyddiai Murphy wrth fwyta. Ni chafwyd unrhyw dystiolaeth feddygol a gwrthododd Austin Jones gynnig y Barnwr i alw meddyg y carchar gan ddweud nad oedd angen hynny. Bu Syr William Pickford yn ddigon teg wrth grynhoi'r achos, er iddo yntau bwysleisio nad oedd yr un dystiolaeth wedi'i chynnig i brofi fod Murphy'n wallgof pan laddodd Gwen Ellen Jones.

Tri munud yn unig a gymerodd y rheithgor i benderfynu fod William Murphy'n gwbwl gyfrifol y nos Nadolig honno a'i fod yn euog o lofruddiaeth wirfoddol. Pan ofynnwyd iddo godi i wrando'r ddedfryd, neidiodd William Murphy ar ei draed a sefyll yn syth fel sowldiwr. Nid oedd ganddo ddim i'w ddweud, meddai, mewn ateb i Glerc y Llys, ond wedi i'r Barnwr gyhoeddi'r ddedfryd, trodd ato, ac meddai, gan wenu, 'Diolch i chi, syr'.

Roedd y ddedfryd honno, mae'n amlwg, wrth fodd y dyrfa, a gadawodd Murphy Fiwmares am garchar Caernarfon i sŵn eu hwtio a'u hisian.

Ond nid oedd William Murphy, hyd yn oed, heb ei gefnogwyr. Yn ystod mis Chwefror, ymddangosodd nifer o lythyrau yn y Wasg yn condemnio'r gosb eithaf. Yn *Y Genedl Gymreig* cyfeiriai 'Diwygiwr' at y weithred o grogi fel un 'farbaraidd, wrthun ac aflan' a mynnai 'F.M.' nad oedd y rhai a gefnogai'r weithred honno'n ddim gwell na 'llofruddion yn llofruddio llofrudd'. Nid oedd y fath gosb, yn ôl 'Dyngarwr' yn rhoi unrhyw gyfle i droseddwr edifarhau, cyn 'gyrru ei enaid i golledigaeth dragwyddol'.

Ategwyd y farn honno yn y *Carnarvon and Denbigh Herald* ar y pedwerydd o Chwefror, gan un a'i galwai ei hun yn 'Sympathiser'. 'Roedd crogi'n waeth na llofruddiaeth, meddai, gan fod y gosb yn cael ei gweinyddu mewn gwaed oer. Galwai ef ar i bawb ymuno i geisio atal y dienyddiad: "Rwy'n gobeithio,' meddai, 'y bydd i holl wŷr a merched Gogledd Cymru, sy'n caru lles dynoliaeth, ddweud "Na" pendant ac y bydd iddynt fynd ati'n ddiymdroi i rwystro anfadwaith sy'n fwy erchyll nag un Murphy, hyd yn oed.'

Cyfeiriodd yr un gŵr, bythefnos yn ddiweddarach, mewn ateb i lythyr 'Eivionyn', a haerai mai dadleuon gwan iawn a oedd ganddo, at ragrith yr ugeinfed ganrif:

> "Rydan ni, Gristnogion, wedi penderfynu nad yw William Murphy o unrhyw ddefnydd yn y byd hwn bellach, nac yn gymwys i gyfathrachu â ni, sy'n byw bywydau mor ddi-fai. 'Does gan ddyn fel hwn ddim busnes i fod yma'n llygru'r awyr yr ydan ni'n ei hanadlu. Mae hyd yn oed ein carchardai ni'n rhy dda iddo. 'Rydan ni am ganiatau rhyw dair wythnos yn rhagor iddo, cyn rhoi ei gorff mewn calch poeth ac anfon ei enaid i'r Nefoedd, gan ddisgwyl i'r Tad Nefol ei dderbyn â breichiau agored. 'Roedd o'n rhy aflan i'r byd hwn, ond yn ddigon da i'r Nefoedd!'

Haerai 'Dyngarwr' y dylid anfon carcharorion fel Murphy i le arbennig i lafurio'r tir a dadleuai 'J. R. Jones' mai penyd-wasanaeth oedd yr unig ateb.

'Nid yw Murphy ond labrwr a soldiwr — y creadur mwyaf dirmygus yng Nghymru,' meddai. 'Nid lle i fagu cariad yw y fyddin. Petai Murphy yn filiwnydd, diau y profid ei fod yn wallgof mewn amser byr iawn, fel y profwyd gyda'r miliwnydd Thaw yn yr America.'

Ar y dydd olaf o Ionawr, dechreuwyd cyfri'r pleidleisiau ym Mwrdeisdrefi Arfon, yn y frwydr rhwng Lloyd George a H.C. Vincent. Aeth y fuddugoliaeth i Lloyd George, gyda mwyafrif Rhyddfrydol o 1078. Yn y cyfamser, 'roedd ei frawd, William George, yn anfon llythyrau i'r wasg o'i gartref yng Ngarthcelyn, Cricieth, ar ran William Murphy ac yn llunio deiseb i'w hanfon at yr Ysgrifennydd Gwladol gyda chefnogaeth Mr. M. E. Nee a Mr. J. T. Roberts, Maer Caernarfon.

Peth cwbwl anfoesol, meddai, oedd dedfrydu Murphy i farwolaeth gan ei bod yn berffaith amlwg nad oedd yn gyfrifol am ei weithred. Byddai wedi ymroi i lunio deiseb cyn hyn oni bai ei fod dan yr argraff fod rhai o gyfeillion Murphy yn barod i'w gefnogi. Cafodd ar ddeall, fodd bynnag, nad oedd ganddo gyfeillion a'i fod yn gwbwl amddifad yn y byd. Yn Llys yr Ynadon yng Nghaergybi, ni chafodd neb i'w amddiffyn a byddai'r un peth wedi digwydd yn y Frawdlys oni bai am ymyrraeth feddylgar y Barnwr. Erbyn hynny, 'roedd hi'n amhosibl casglu tystiolaeth i brofi fod y carcharor yn wallgof.

Er na chafodd y ddeiseb gefnogaeth frwd, fe'i harwyddwyd gan nifer helaeth o weinidogion ac athrawon a chynghorwyr, ac eraill mewn swyddi cyfrifol. Ond 'roedd tynged William Murphy wedi'i selio. Ni theimlai'r Ysgrifennydd Gwladol fod unrhyw reswm dros ymyrryd â chwrs y gyfraith.

Torrwyd y newydd hwn i Murphy gan ei frawd, a ddaeth i'w weld i'r carchar y dydd Gwener cyn y dienyddiad. Yn groes i ewyllys Murphy y cysylltwyd â'r brawd hwnnw. Ni fyddai arno ef, na brawd arall na wyddai ei gyfeiriad, eisiau dim i'w wneud â llofrudd, meddai. Derbyniodd Murphy'r newydd am fethiant y ddeiseb yr un mor ddidaro ag arfer.

Yn ystod ei arhosiad yn y carchar, ni roddodd unrhyw drafferth i'r swyddogion. Bu pawb yn ddigon caredig tuag ato ac edrychai yntau ymlaen yn awchus am ei brydau bwyd. Y nos Lun olaf, noson fwyaf stormus y gaeaf hwnnw, pan oedd rhu'r gwynt yn ddigon i gadw'r tawelaf ei feddwl ar ddi-hun, cysgodd fel plentyn. A bore trannoeth, cafodd flas ar ei frecwast, er bod sŵn morthwylio'r seiri wrth iddynt baratoi'r crocbren i'w glywed yn blaen o'i gell ar lawr isaf y carchar.

Ond i'r Tad Gouzier, Caplan Pabyddol y carchar, ac un nad oedd erioed wedi gorfod wynebu'r fath orchwyl cyn hynny, yr oedd pob eiliad o aros fel awr a sŵn y morthwylio'n merwino'i glustiau. 'Roedd clywed y curo ysgafn ar ddrws y gell am un munud i wyth yn rhyddhad mawr iddo.

Cerddodd Pierrepoint y crogwr i mewn, a chlymu dwylo Murphy y tu ôl i'w gefn. A'r Tad Gouzier yn arwain, yn adrodd y Miserere, ffurfiwyd gorymdaith ddwys. Yr un dillad a wisgai Murphy â'r rhai oedd amdano'r nos Nadolig dyngedfennol honno, a phan dynnwyd ei lun yn swyddfa'r heddgeidwaid yng Nghaergybi; yr un esgidiau trymion oedd am ei draed â phan gerddai yng nghwmni Gwen Ellen ar ei siwrnai olaf o'r Bardsey Island. 'Roedd ei gerddediad yr un mor hamddenol gadarn a'r un olwg ddifraw ar ei wyneb â phan wynebai dorfeydd gelyniaethus Caergybi a Biwmares. Dilynid ef gan y crogwr a Willis, ei gynorthwywr, Mr. Hugh Corbett Vincent, yr Is-siryf, Dr. Parry, meddyg y carchar a'r rheolwr, Mr. Farley.

Y tu allan i'r carchar, o gwmpas y cei a Phorthyraur, 'roedd torf enfawr wedi ymgasglu, er nad oedd gobaith iddynt allu gweld dim. Pan ddechreuodd cloc mawr y dref daro wyth, aeth pawb yn fud, ac yn y gosteg hwnnw clywyd cnul cloch eglwys y Santes Fair, a fu'n arwain un ar ddeg i'w tranc. Dau gnul yn unig, ac yna'r un tawelwch llethol. Tybiai'r dyrfa fod y dienyddiad wedi'i atal, ond torrwyd ar y tawelwch gan sŵn y tu arall i'r mur, wrth i'r crocbren gyflawni'i dasg.

Tua chwarter wedi wyth, rhoed rhybudd ar ddrws y carchar i gyhoeddi fod dedfryd marwolaeth wedi ei gweinyddu ar William Murphy a bod y meddyg Robert Parry wedi archwilio'r corff, a'i gael yn farw. Hysbyswyd gohebydd *Y Wyntyll,* ac eraill, i Murphy gerdded yn syth a di-ofn i'r crocbren, a bod y dienyddiad drosodd mewn llai na dau funud o'r adeg y gadawodd ei gell.

Cynhaliwyd y trengholiad am ddeg o'r gloch y bore hwnnw, o dan ofal y Crwner, Mr. J. Pentir Williams. Cytunwyd bod popeth wedi ei gyflawni'n foddhaol a Murphy wedi cael ei grogi yn ôl gofynion y gyfraith. Fe'i claddwyd yn iard y carchar, ychydig lathenni oddi wrth dŵr y crocbren, ond yn ystod y tridegau codwyd ei weddillion, i ganlyn rhai Thomas Jones a Jack Swan, a'u hailgladdu, drymder nos, mewn bedd ym mynwent Llanbeblig.[4]

Rhwng Porthyraur a'r Anglesey Inn

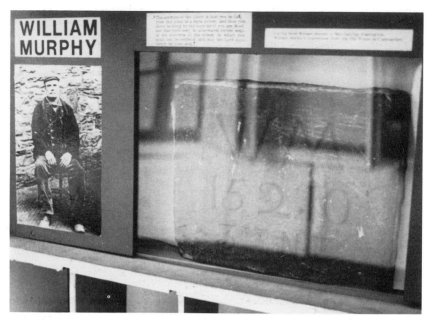

Carreg fedd William Murphy yn y Llys ym Miwmares

Daeth oes y crocbren ac oes cloch yr hen eglwys i ben gyda'i gilydd. William Murphy oedd yr olaf i gael ei grogi yng Nghaernarfon, ac nid oedd unrhyw ddefnydd i'r gloch bellach gan fod y tafod haearn wedi disgyn ohoni wedi'r ddau gnul.

Ar Forfa Seiont y bu'r dienyddiadau rhwng 1751 ac 1822. Yno yr aed ag Evan Thomas, Llanrug, gweithiwr amaethyddol a phregethwr, am ladd ei wraig, Rebecca, yn '51; Margaret Morris, Clynnog am ladd bachgen chwech oed yn '74; Morris Rowland, am ladd melinydd yng Nghochwillan yn '78 a Lewis Owen am saethu goruchwyliwr yn 1822. Yno, hefyd, rhwng 1756 ac 1801, y crogwyd Siôn, gŵr Marsli, tincer o'r Rowen, am ddianc o alltudiaeth, dau ddyn am achosi terfysg ar fwrdd llong, 'Civil Will' am ysbeilio siop ym Meddgelert a Huw Sir Fôn am ddwyn ceffyl o Dy'n llan, Llanrug. Fe'u cludwyd yno ar droliau, pob un yn eistedd ar ei arch ei hun.

Ar 18 Chwefror, ymddangosodd llythyr yn y *North Wales Observer and Express,* llythyr a anfonwyd gan Sgt. J. Lees, 105 Partington Lane, Swinton, Lancashire ar y degfed o'r mis at William Murphy — 'my dear unfortunate old friend'. Nid oedd gan y 'sorrowful old friend' hwnnw unrhyw amheuaeth beth fyddai canlyniad y ddedfryd petai'r Barnwr a'r rheithgor yn gyfarwydd â'r ffeithiau. Meddai:

'Petai Mr. Austin Jones yn gwybod am yr hyn wnest ti ei ddioddef yn India, fe allai fod wedi gwneud mwy ar dy ran di. Y dwymyn haul yna ddaru dy daro di yn Meen Meer sy'n gyfrifol am hyn, a dim byd mwy. 'Does yna neb yn gwybod mwy am gyflwr dy feddwl di ar adegau na fi. Mi wyt ti'n siŵr o fod yn cofio, William, sut stad oedd arnat ti pan gest ti dy anfon i Dulhousi o Firozipur. Mi fuo'n rhaid inni gadw golwg go fanwl arnat ti wedi iti ddod allan o'r ysbyty. Dwyt ti ddim wedi bod 'run dyn, gorff na meddwl, er iti adael Meen Meer.'

Dywedir yn y papur i gopi gael ei anfon i'r Ysgrifennydd Gwladol ar Chwefror y degfed, ond mae'n anodd credu hynny, gan mai dyna'r union ddyddiad sydd ar y llythyr. Go brin y gallai neb ei ddiystyru'n llwyr, ac os yn amau ei gynnwys, gellid bod wedi gwneud ymdrech i gysylltu â Lees gan ei fod ef ar derfyn ei lythyr yn addo gwneud popeth a oedd yn ei allu i helpu ei hen bartner.

Ni lwyddodd na llythyrau na deiseb na phle cyfaill i achub William Murphy rhag y dynged yr oedd ef ei hun wedi ildio iddi o'r eiliad y cerddodd i mewn i swyddfa'r heddgeidwaid. Buan iawn y darfu'r sôn amdano yng Nghaergybi, er bod y gochen, Lizzie Jones, yn cael ambell i bwl o gofio hiraethus am Gwen Ellen wrth yfed gwin port yn y Bardsey Inn. Daeth eraill i gymryd ei le yn rhif 40 Baker Street. Nid oedd dim ohono'n aros ond un bachgen bach amddifad y rhoddodd y tad afradlon geiniog iddo pan alwai'n ofer am ei fam a siarsio dau, nad oedd ganddynt fodd i'w cynnal eu hunain hyd yn oed, i ofalu na fyddai byth heb fara; bachgen bach a adawyd yng ngofal hen ŵr nad oedd fawr feddwl, wrth fwyta'i ginio Nadolig o grystyn sych, fod llawer gwaeth i ddod.

NODIADAU

[1] Baled Llofruddiaeth Caergybi. Dedfrydu Murphy i Farwolaeth
[2] Gweler stori William Griffith — 'O Jericho i Niwbwrch'
[3] Gweler stori Thomas Jones — 'Beautiful Murder'
[4] Gweler stori John Roberts (Jack Swan)—'Be wna' i â'r gwsberis?' a stori Thomas Jones— 'Beautiful Murder'.

PWY RYDD I LAWR?
John Elias
1916

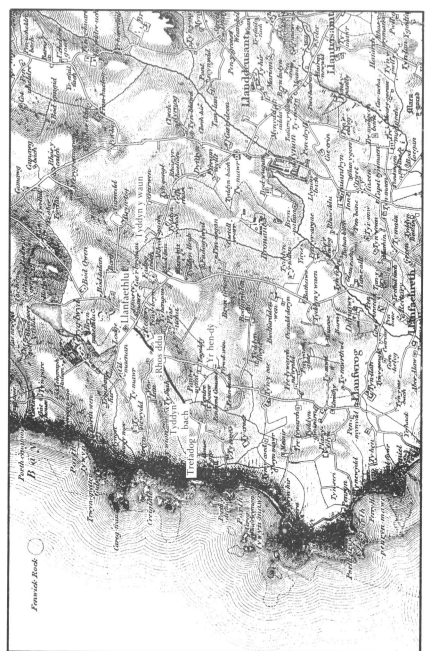

Ardal Llanfaethlu

Pwy a rif dywod Llifon?
Pwy rydd i lawr wŷr mawr Môn?

Felly y canodd Goronwy Owen glodydd ei sir enedigol yn 1756, yn ei gywydd ateb i Huw'r Bardd Coch o Fôn. Ar hyd y canrifoedd, cyfrannodd Môn mam Cymru a nain y byd ei siâr o wŷr mawr. Un o'r rhai amlycaf, a aned bum mlynedd wedi marw Goronwy Owen yn Virginia, oedd John Elias. Mab Sir Gaernarfon oedd John Elias, wedi'i eni yn y Crynllwyn ym mhlwyf Abererch ger Pwllheli, ond fe'i mabwysiadwyd gan yr hen fam yn 1799, ac oherwydd ei uchel-Galfiniaeth ddigyfaddawd enillodd anfarwoldeb iddo'i hun fel Pab Ynys Môn.

Ond nid ef oedd unig John Elias yr ynys. Hyd at wanwyn 1916, 'roedd dau o'r un enw yn byw yn Nhyddyn Bach, Llanfaethlu.

Tyddynnwr oedd John Elias, y tad, er iddo fod ar y môr am bymtheng mlynedd ac yn gweithio yn chwareli Arfon am bum mlynedd arall. Ond 'roedd ei stoc, o ddwy fuwch a llo, yn brinnach nag un Cadwaladr Jones, y Parc[1] hyd yn oed.

Fel y dyn oedd yn cario gwn y câi ei adnabod yn Llanfaethlu gan na fyddai byth yn mentro allan heb yr arf hwnnw, hyd yn oed pan fyddai'n mynd â'r gwartheg i'r dŵr. Nid âi led ei droed oddi cartref chwaith heb gloi'r tŷ a'r adeiladau, er nad oedd yno fawr ddim a oedd yn werth ei ddwyn. Ond nid oedd yr hen Siôn Elias ei hun ar ôl o roi ei bwmp ar eiddo pobol eraill.

Pentref Llanfaethlu: Capel Pen ar y chwith a'r Coffee House ar y dde

147

Eglwys Llanfaethlu

Byddai'n dwyn gwair o ffermydd cyfagos, ond er y gellid dilyn ei drywydd yn ôl am Dyddyn Bach ni feiddiai neb ei gyhuddo, gan fod arnynt ei ofn.

Nid oedd ar Siôn Elias ei hun ofn neb. Er nad oedd ond cymedrol o ran maint, 'roedd ganddo groen eliffant, ystyfnigrwydd mul a thymer y byddai'r mwyaf eofn yn gwaredu rhagddi. Cyfuniad o'r ystyfnigrwydd a'r dymer a barodd iddo droi'n eglwyswr am gyfnod. Arferai fod yn eitha' ffyddlon yng nghapel Ebeneser, neu Gapel Pen, Llanfaethlu, ac arhosai'r plant yn eiddgar am sŵn ei esgidiau hoelion mawr wrth iddo droedio'n drwm i'w sedd yn y blaen. Ond pan gafwyd organ yn y capel, a honno'n rhuo yn nhwll ei glust, digiodd yn bwt wrth 'y ddelw fawr Deiana' fel y galwai ef hi, ac aeth am yr eglwys.

'Mi 'dw i'n methu'ch dallt chi, Siôn Lias, yn gadael Capel Pen am yr eglwys,' meddai Madoc Jones, yr ysgolfeistr. 'On'd oes 'na organ yn y fan honno hefyd?'

'Mae hi'n iawn mewn rhyw le felly,' atebodd yntau. 'Ond 'dydi hi ddim yn iawn yng nghysegr Duw.'

Nid oedd John y mab na chapelwr nac eglwyswr, ond 'roedd o'n giamstar ar drin clociau. Gwisgai het silc ddu pan fyddai'n mynd at ei waith yn nhai a ffermdai'r ardal. Ni fyddai'n cymryd tâl nes ei fod yn siŵr fod y driniaeth wedi bod yn un lwyddiannus. Unwaith, ac yntau'n ymweld ag un o ffermydd yr ardal, dywedodd gwraig y fferm wrtho ei bod eisoes wedi talu i'w dad.

148

Cloc a drwsiwyd gan John Elias (Graeanfa, Llanfaethlu)

149

Cododd ei wrychyn yn arw, ac meddai, ''Dydi o ddim wedi dweud wrtha i. Mi geith o syffro am hyn'.

'Roedd yn un hawdd ei ddarfu ac nid oedd dim yn ei gynhyrfu'n fwy na gorfod mynd o dŷ heb damaid o fwyd. Mae sôn iddo ysgrifennu penillion a'u hanfon i'r *Clorianydd,* yn disgrifio un teulu mwy crintachlyd na'i gilydd. 'Roedd yn un misi iawn efo'i fwyd. Ni fyddai byth yn bwyta crystiau, a chyn codi oddi wrth y bwrdd arferai eu gwthio o dan ei blât. Efallai mai'r hen Nan Elias oedd wedi dwndran gormod arno; y hi'n iâr un cyw ac yntau'n hen lanc, heb ddangos unrhyw awydd i adael y nyth.

Un fywiog iawn oedd hi, yn ffraeth ei thafod, ac wrth ei bodd yng nghanol merched ifanc. 'Roedd ganddi hances boced fawr, ac os oedd un o'r merched yn chwerthin yn y capel, byddai'n ei tharo'n galed efo'r hances. Tra oedd pawb arall yn dilyn y llwybr tro am y capel, byddai Nan, gynted ag yr oedd hi drwy'r giât, yn rhuthro ar draws y gwelltglas, gan weiddi dros ei hysgwydd, 'Unionwch ffordd yr Arglwydd'.

'Roedd hi'n chwith iawn i'r ddau John pan fu farw Nan Elias yn 1914. Rhyw fynd digon disymwth oedd hwnnw ac un a roddodd dipyn o waith siarad i dafodau Llanfaethlu. Daeth Mary Jane Williams, un o Gaergybi ond yn lletya dros dro yn y Ffatri, Llanfachraeth, yno i geisio rhoi rhywfaint o drefn ar bethau, ond cyndyn iawn oedd yr hen Siôn Elias o roi ei law yn ei boced i dalu iddi er ei bod hi'n ôl pob sôn yn fwy na morwyn, a'r un mor gymwynasgar tuag at y tad a'r mab.

Syniad y mab oedd hysbysebu yn y papur am howsgipar. Mewn canlyniad i hynny, cyflogwyd Catherine Pierce, Tŷ Capel Wesle, Abergele am bum swllt yr wythnos. Er mai un noson yn unig yr arhosodd Catherine yn Nhyddyn Bach ddechrau Chwefror, bu'r ymweliad yn ddigon i beri i John benderfynu y byddai gwraig yn fwy o fudd iddo na howsgipar, ac anfonodd lythyr ati ar 22 Chwefror heb yn wybod i'w dad, yn gofyn iddi ei briodi. Cytunodd hithau, a daeth yn ôl i Dyddyn Bach ddiwedd y mis.

Yn ystod ei hwythnos o arhosiad yno, 'roedd pethau'n o ddrwg rhwng y tad a'r mab, er i Cadi dyngu yn y llys na chlywsai hi erioed air cas rhyngddynt. Wedi iddi hi ddychwelyd i Abergele, cafodd John ar ddeall fod yr hen ddyn yn bwriadu gwerthu'i dipyn stoc.

Wrth i'r Uwch-arolygydd Prothero[2] chwilio'r tŷ, wedi cythrwfl 13 Mai, daeth o hyd i ddarn o bapur ac arno, yn ysgrifen John, ei ymateb i fwriad maleisus ei dad:

> Pan ddaeth Catherine Pierce yma gyntaf i aros 'roedd fy nhad mor benderfynol a dieflig am gadw'i hen wraig fel y penderfynodd werthu'i stoc. 'Roedd Miss Pierce wedi mynd yn ôl i Abergele cyn imi ddod i

wybod am hynny. Ond buan iawn y ce's i un yn ôl arno fo. Un dydd Sul mi rois i solpitar yn ei fwyd, er mwyn gwneud iddo chwysu, ac yna, wedi iddo fynd i'w wely, mi agorais y ffenest' yn slei bach. 'Roedd gwynt y dwyrain ar ei oera'r noson honno.

Fe gafodd yr hen ddyn ddos go egar o ffliw, ond 'roedd yn ddigon gwydn i allu'i wrthsefyll a bu'r cynllun yn fethiant.

Bu Catherine Pierce yn ymweld â Thyddyn Bach rai troeon yn ystod y gwanwyn, ac yn aros yno am bythefnos. Ar y chweched o Fai, dychwelodd i Abergele unwaith eto. 'Roedd ei thad a hithau i ddod i Dyddyn Bach ar y pymthegfed i wneud trefniadau at y briodas a oedd i gael ei chynnal cyn diwedd y mis. Trefnwyd i John eu cyfarfod am dri o'r gloch yng ngorsaf y Fali.

Aeth pethau o ddrwg i waeth yn ystod yr wythnos honno. Ar y dydd Mercher, ni allai'r tad ddod o hyd i allwedd y bocs lle y cadwai ei lyfr banc. Y prynhawn hwnnw, galwodd yn y *London City and Midland Bank* yng Nghaergybi i holi a allai rhywun godi'r ugain punt a oedd ganddo yno heb yn wybod iddo. Er iddo gael ei sicrhau nad oedd hynny'n bosibl mae'n amlwg ei fod yn amau mai wedi cael ei ddwyn yr oedd yr allwedd ac mai John y mab oedd y troseddwr. Yn ogystal â'r ugain punt, 'roedd ganddo ddeuddeg swllt a dwy geiniog yn ariandy cynilo'r llythyrdy ac ychydig o bapurau punt yn y tŷ — swm bach eitha' taclus ac ystyried ei sefyllfa.

Tua chwarter i ddeg fore Sadwrn galwodd y tad yn Shop Blac a chafodd ei gario'n ôl cyn belled â'r Coffee House, yng nghanol y pentref, ym moto Thomas Williams y cariwr. Fe'i gwelwyd yng nghyffiniau Tyddyn Bach yn ystod y bore a thystiai Ann Jones, Fferm Trefadog, iddi ei weld yn pori'i wartheg ar y lôn bost tua deuddeg o'r gloch. Newydd orffen ei ginio yr oedd William Parry, un o'r cymdogion, ac yn croesi cae gerllaw Tyddyn Bach pan glywodd sŵn ergyd, ond ni chymerodd fawr o sylw o hynny.

Yn fuan wedyn, galwodd Siôn Elias i weld Ellen Jones, Glasfryn, gan ddweud fod John y mab wedi'i saethu'i hun a'i fod am iddi hi fynd yno i ddiweddu'r corff. Oddi yno, aeth at John Williams, Hen Dŷ, a gofyn iddo fynd i nôl yr heddgeidwad Hugh Francis. Cyn i'r heddgeidwad gyrraedd, fodd bynnag, daeth Edward Owen, Tyddyn Waun, i Dyddyn Bach yn ôl ei arfer, i nôl llaeth i'r moch. 'Roedd Siôn Elias yn ei gyfarfod ar ganol allt Penrhosddu.

'Mae John bach wedi saethu'i hun, Now,' meddai.

'Dim ffiars o berig,' atebodd yntau yn ei ddychryn, heb sylweddoli ar y munud efo pwy yr oedd o'n siarad. 'Chdi saethodd o'r cythral.'

Cyfeiriodd William Davies, hwsmon, at y sgwrs a gawsai â Siôn Elias tua hanner awr wedi dau y prynhawn hwnnw ar y ffordd rhwng Hen Dŷ a Thyddyn Bach. Wrth weld yr hen ŵr yn ei ddagrau, gofynnodd iddo beth oedd yn bod a dywedodd yntau fod John wedi'i saethu'i hun yn ddamweiniol.

151

Shop Blac

Y Coffee House

Mae'n rhaid ei fod wedi rhoi ei droed ar y fwyell yr oedd o wrthi'n ei thrwsio, meddai, a bod honno wedi taro'n erbyn y gwn a rhyddhau'r gliced.

Ar y pedwerydd ar ddeg, a hithau'n paratoi i ddychwelyd i Fôn, derbyniodd Catherine Pierce delegram oddi wrth Siôn Elias yn ei hysbysu: 'Mae fy mab yn farw; nid oes eich eisiau yn awr'. A thrannoeth, cynhaliwyd trengholiad yn ysgoldy'r capel gan y meddygon T.W. Clay, Caergybi, a fu'n archwilio corff Gwen Ellen Jones, nos Nadolig 1909[3] ac O. J. Parry Edwards, Bodedern. Daeth y ddau i'r casgliad na allai John bach fod wedi ei ladd ei hun a bod yr ergyd wedi ei thanio gan rywun arall o bellter o ychydig fodfeddi.

Cynhaliwyd trengholiad pellach yn y llys yng Nghaergybi y dydd Llun canlynol o dan ofal Mr. R. Jones Roberts, Crwner Môn, gyda Mr. W. Thorton Jones, Bangor yn erlyn a Mr. R. Gordon Roberts, Caergybi yn cynrychioli Siôn Elias. Rhoddwyd tystiolaeth gan nifer o drigolion Llanfaethlu a mynnai'r mwyafrif mai rhyw fyw digon cythryblus oedd rhwng y tad a'r mab. Ond gan Mary Jane Williams yr oedd y dystiolaeth fwyaf syfrdanol o'r cyfan.

'Roedd Siôn Elias wedi ei galw i Ddyddyn Bach y noson honno o Fai ac wedi dweud wrthi, ar ôl i bawb arall adael, 'Wel, dyna fi wedi saethu'r hen ddiawl. Mi allwch chi a'r gŵr ddod i fyw yma rŵan.'

153

'Ond i be oeddach chi'n gneud hynny, Siôn Lias?' holodd hithau. 'Mi gewch chi'ch crogi'n siŵr i chi.'

Addawodd yr hen ŵr y câi hi'r fuwch ddu a'r setl, cist a chadwen ond iddi beidio ag achwyn arno.

Pan ddychwelodd Mary Jane i Dyddyn Bach ymhen deuddydd, cyffesodd Siôn Elias ei fod wedi lladd dyn mewn tafarn yn Lerpwl rai blynyddoedd cyn hynny. 'Roedd yn hoff iawn o Mary Jane, meddai, yn fwy felly nag o'i wraig ei hun a dim ond y gwn a hithau oedd wedi ei gadw'n fyw. Gofynnodd iddi a âi at y saer a pheri iddo agor bedd o'r newydd gan nad oedd am i'r cythral gael ei gladdu efo'i fam. Pan ddywedodd hi fod yn ddrwg ganddi am farw John, meddai, 'Yn enw Duw, peidiwch â sôn dim am y diawl'. Dywedodd iddo saethu'r mab o ddrws y tŷ pan oedd wrthi'n trwsio bwyell ac yna osod y gwn, a'i faril i fyny, i bwyso'n erbyn y wal.

Holwyd Mary Jane yn galed gan Mr. Thornton Jones. 'Roedd ei gŵr yn gwasanaethu yn Ffrainc, meddai, ac yn anfon deuddeg swllt a chwech yr wythnos iddi at ei byw. Yn ychwanegol at hynny câi ei thalu am ei gwaith fel howsgipar yn Nhyddyn Bach, ond yr oedd ar Siôn Elias rai wythnosau o gyflog iddi.

Awgrymodd yr erlynydd ei bod wedi cyflwyno tystiolaeth gelwyddog gerbron y rheithgor oherwydd iddi fethu cael arian gan yr hen ŵr. Er iddi, meddai, ei gynghori i fynd i'r angladd yn groes i'w ewyllys, rhag i neb ei amau, ac addo dal dano, aethai at yr Uwch-arolygydd Prothero yn unswydd i'w fradychu. Haerodd hithau nad oedd ond wedi dweud y gwir bob gair a bod Siôn Elias wedi gofyn iddi ddod yn ôl ato ym mis Ebrill. ''Fydd fy mab ddim yno pan ddychwelwch chi,' meddai. 'Mi fydda' i wedi'i saethu. Chaiff Cadi Pierce byth roi ei throed i lawr yn Nhyddyn Bach.' Wrth iddi adael, pan ddaeth Catherine Pierce i gymryd ei lle, gofynnodd John iddi a fyddai hi'n fodlon bod yn dyst petai rhywbeth yn digwydd iddo. 'Roedd ei dad wedi bygwth ei saethu, meddai.

Stori bur wahanol oedd gan Siôn Elias, fodd bynnag. Celwydd oedd y cyfan, meddai, ac nid oedd arno'r un ddimai o gyflog iddi. 'Naddo wir, bobol annwyl, naddo erioed. Boed imi gael fy nharo'n farw os bu imi ddweud y fath bethau,' meddai. Haerai, hefyd, nad oedd y mab, erbyn meddwl, yn ddigon drwg i fod wedi cyflawni hunanladdiad, er ei fod yn ymddwyn yn od iawn ar adegau ac yn gweiddi fod llau yn torri allan drwy'i gnawd a bod rhywbeth o'i le ar ei ben.

Tystiodd yr Heddgeidwad Francis iddo fynd i Dyddyn Bach wedi iddo gael gwybodaeth gan John Williams ac iddo weld y corff yn gorwedd ar ei ochr chwith a'r pen mewn pwll o waed. 'Roedd twll o faint deuswllt yn y pen. Ar y dechrau, gwadodd y tad iddo symud y gwn, ond cyfaddefodd wedyn iddo ei sythu ryw gymaint, rhag iddo syrthio ar John.

Cofiodd Francis fel y bu i Siôn Elias gwyno wrtho ryw chwe wythnos cyn hynny fod y mab wedi torri ei wn, a'i fod yn cario llawddryll chwe siambr i'w ganlyn i bobman. Pan ofynnodd Francis i John pam y bu iddo dorri'r gwn dywedodd fod arno ofn i'w dad ei saethu, ond iddo gael ar ddeall wedyn, gan Mary Jane Williams, mai bwriad ei dad oedd ei daro â baril y gwn yn hytrach na'i saethu. Wedi cuddio'r llawddryll yr oedd, meddai, gan fod ei dad wedi saethu'n fwriadol at griw o fechgyn yn Llanfwrog.

Haerodd yr Uwch-arolygydd Prothero ei fod yn gwbwl argyhoeddedig nad oedd yr hyn a ddigwyddodd ar 13 Mai na hunanladdiad na damwain ac nad oedd stori'r tad yn dal dŵr o gwbwl. Honnai hwnnw, meddai, fod y fwyell yr oedd y mab yn ei thrwsio ar y pryd wedi cyffwrdd rywsut â'r gwn a pheri i hwnnw danio. 'Roedd John wedi bod yn saethu cwningod efo'r gwn hwnnw yn ystod y bore a gofynnodd i'w dad am getrisen arall gan ei fod â'i lygad ar un wningen ddu. Rhoddodd yntau getrisen iddo gan ddweud mai honno fyddai'r olaf gan ei fod eisiau cadw rhai i'w rhoi i dad Catherine Pierce. Yna aeth i'r tŷ i gael hoe ar y setl. Gorwedd yno yr oedd pan glywodd sŵn ergyd. Ni chymrodd yntau, mwy na'i gymydog, unrhyw sylw ohoni, ond ymhen deng munud a John heb ddychwelyd efo'r gwningen, aeth allan a chael ei fab yn gorwedd ar lawr. Pan holodd Prothero ai ef oedd wedi saethu'r mab, meddai, 'Nage wir. 'Dydw i ddim yn gwybod mwy amdano na'r cerrig yma,' gan gyfeirio at bentwr o gerrig gerllaw. 'Wnes i mo'r niwed lleia' iddo fo, naddo wir.'

Yr uwch-arolygydd Prothero a'r heddlu

155

Llys Biwmares

Barnai'r Crwner fod y dystiolaeth feddygol yn gwrthbrofi hunanladdiad. Swydd y rheithgor, meddai, oedd ceisio penderfynu a allai'r mab fod wedi ei saethu ei hun ar ddamwain. Ond methodd y rheithgor â chytuno'n unfrydol gan nad oedd tystiolaeth ddigonol, ac mewn canlyniad i'r ddedfryd agored anfonwyd Siôn Elias i wynebu ynadon Caergybi ar y dydd Iau canlynol.

Yno, yr un dau oedd yn erlyn ac yn amddiffyn a'r un oedd y tystion a alwyd. Dangoswyd y llawddryll y cafodd Prothero hyd iddo wedi ei guddio'r tu mewn i gloc wyth niwrnod mewn tŷ yn Llanfaethlu a phwysleisiodd yr amddiffynnydd, unwaith eto, nad oedd tystiolaeth ddigonol i brofi mai Siôn Elias oedd yn gyfrifol am saethu'i fab. Ond wedi gwrandawiad o naw awr, teimlai'r ynadon yn ddigon hyderus i'w gyhuddo o lofruddiaeth a'i draddodi i sefyll ei brawf ym Mrawdlys Biwmares ar y chweched o Fehefin, 1916.

I'r un neuadd hynafol honno, lle bu llysoedd pwysicaf yr ynys ers dros dair canrif, yr arweiniwyd William Griffith[4] a William Murphy[5] i sefyll eu prawf. Meddai gohebydd llengar y *Clorianydd*, wrth adrodd yr hanes:

> Taflai'r haul ei belydrau olaf trwy ffenestri y neuadd hen a hanesyddol ym Miwmares, lle yr oedd tynged anochel wedi arwain un o'r troseddwyr mwyaf anfad welodd Môn i dderbyn cyfiawn farn a dedfryd. Pe medrai meini y muriau siarad gallent dystio i aml brawf cofiadwy ac atsain aml ddedfryd ofnadwy ei chanlyniadau.

156

Talodd deyrnged arbennig i'r Barnwr, 'Yr Anrhydeddus Bernard John Seymour, Arglwydd Coleridge, mab i'r gŵr aur-enau hwnnw fu yn gymaint addurn i lysoedd ac i lenyddiaeth Prydain yn y ganrif ddiwethaf. Yr oedd ei barabl yn bwyllog, ei esboniad yn glir a'i iaith yn berffaith a manwl.'

Eisteddai'r Barnwr a'i osgorddlu, yr Uchel-sirydd, Mr A. T. Eccles, Bae Trearddur, a'i ddirprwy, Mr. T. R. Evans, y Caplan, y Parch. T. Charles Williams, Porthaethwy ac eraill breintiedig ar gadeiriau dan ganopi o dderw du gloyw ac arno arfbais y dref.

O dan fainc y Barnwr, yr oedd dau ŵr nodedig iawn — Mr Ellis Jones Griffith, yr erlynydd,[6] a Mr. Artemus Jones, yr amddiffynnydd. 'Roedd i'r ddau stôr o ffraethineb, miniogrwydd meddwl, a'r ddawn ddramatig a roddai fodd i fyw i'r gwrandawyr.

Yn 1912, rhoesai Ellis Jones Griffith y gorau i'w waith fel Bargyfreithiwr oherwydd ei swydd yn y Swyddfa Wladol, ond dychwelodd at y Bar yn 1915 gan barhau'n aelod preifat o'r Senedd.

Gŵr o Ddinbych oedd Artemus Jones. Daeth i sylw'r cyhoedd yn ei ugeiniau cynnar oherwydd yr achos enllib a ddygodd yn erbyn Hulton (cyhoeddwyr *Picture Post* yn ddiweddarach). Rhoesai newyddiadurwr, mewn stori am drip i Boulogne, ddisgrifiad cellweirus o ddyn o'r enw Artemus Jones gan ei gysylltu â merch 'nad oedd yn wraig iddo'. Aed â'r achos i'r Uchel Lys ac yna'n achos prawf i Dŷ'r Arglwyddi a chafodd y gŵr a enllibiwyd iawndal sylweddol.

Nid Siôn Elias oedd yr unig un y bu Artemus Jones yn ei amddiffyn yn 1916. Ef oedd yr ieuengaf o'r Bargyfreithwyr yn achos Sir Roger Casement, gwas sifil Prydeinig a geisiodd recriwtio byddin wrthryfelgar Wyddelig o garcharorion rhyfel yn yr Almaen. Cafwyd Casement yn euog o deyrnfradwriath, ac fe'i crogwyd.

Yn y doc, wedi'i amgylchynu â barrau haearn, safai Siôn Elias:

Dacw ef rhwng dau warchodwr cydnerth a rhwng y barrau heyrn. Ei farf a'i wallt yn wyn gan henaint — eira pedwar ugain mlynedd wedi disgyn arno; ei lygaid yn pylu a chysgod y gorwel ynddynt; gerwinder ar ei wedd a'i gefn yn crymu dan bwysau blynyddoedd ac euogrwydd. Gwyn yw ei ben, ond coch yw ei ddwylo gan waed ei unig fab. Wele Gymro wedi ei fagu yn yr ynys yn cael ei gyhuddo o lofruddiaeth ysgeler a gwaradwyddus.

Ond mae'n ymddangos mai henaint yn hytrach nag euogrwydd a grymai'r cefn, er nad oedd Siôn Elias wedi cyrraedd ei bedwar ugain. Yn ôl *Y Wyntyll*, 25 Mai, 'roedd yn un ar bymtheg a thrigain, ond yn yr un papur, ar Fehefin y cyntaf, yn ddeunaw a thrigain, ac felly wedi heneiddio ddwy flynedd mewn wythnos! Yn ystod croesholiad a barodd am ddwy awr a hanner, safodd heb gyffroi na gwrido am ddwy awr a hanner, na dangos yr un iot o gywilydd. Mewn ateb i Glerc y Frawdlys, Dr. Stubbs, dywedodd mewn llais clir, 'No sir, not guilty', a glynodd wrth hynny hyd y diwedd.

Wrth annerch y rheithgor, cyfeiriodd y Barnwr at y digwyddiadau dychryn-llyd ar fôr a thir. Er eu bod yn ymwybodol iawn o hynny ac er bod gan amryw ohonynt berthnasau agos yng nghanol y gyflafan, eu dyletswydd hwy, meddai, fel aelodau o gymdeithas wareiddiedig, oedd gofalu fod cyfiawnder yn cael ei weinyddu.

'Roedd y llys yn orlawn a'r mwyafrif o'r gwrandawyr yn ferched. Gan nad oedd lle ond i ryw bump eistedd, bu'n rhaid iddynt sefyll gydol y dydd ar y llawr cerrig y tu ôl i'r rheiliau haearn a rannai'r llys yn ddau. Haerai rhai mai pwrpas y rheiliau hynny oedd atal y cyhoedd rhag ymyrryd â threfn cyfiawnder drwy gipio'r carcharor, ond mynnai eraill mai'r amcan oedd eu rhwystro rhag ymosod ar ambell Farnwr mwy amhoblogaidd na'i gilydd. Nid oedd yr anghysur na'r atalfa'n ddigon i'w rhwystro rhag dychwelyd yno fore trannoeth, fodd bynnag.

Ar waethaf tystiolaeth trigolion Llanfaethlu i'r byw cwerylgar a fu rhwng y tad a'r mab wedi marw Nan Elias, daliai Catherine Pierce i fynnu na chlywsai hi erioed mohonynt yn ffraeo a bod yr hen ŵr o blaid iddi briodi'r mab, gan ei fod ef yn tynnu 'mlaen ac na fyddai efo nhw lawer hwy. 'Roedd wedi dweud wrthi mai hi fyddai piau'r gwartheg ac y byddai'n falch o'i gweld hi a'i thad yn dod i Dyddyn Bach, fel y gallent wneud trefniadau at y briodas.

'Oeddach chi'n hoff o'ch mab?' gofynnodd Ellis Jones Griffith i Siôn Elias.

'Oeddwn. Mi weithiais i'n galed am bron i hanner can mlynedd i'w gadw.'

'Oedd o'n hoff ohonoch chi?'

'O, oedd. 'Roedd pob dim yn iawn nes imi golli'r wraig. Mi gollais i bopeth pan gollais i hi.'

'Oeddach chi'n byw'n hapus, y chi a'r mab?'

'Yn ddigon hapus. Ond 'doedd o ddim yn iawn yn ei ben er pan gafodd o dwymyn teiffoid yn bymtheg oed.'

'A 'doedd o ddim yn gyfrifol am yr hyn oedd o'n ei wneud er hynny?'

'Nac oedd, wir. 'Roedd ar ei fam ei ofn o.'

'Ddaru o droi arnoch chi erioed?'

'Dim ond unwaith, ryw bymthag neu ugian mlynadd yn ôl.'

Cafodd y gwrandawyr hwyl i'w ryfeddu pan dystiodd Elizabeth Williams, Fferam, a fu'n aros yn Nhyddyn Bach am dri mis, i'r mab godi un bore a dweud iddo weld ei fam yn ystod y nos a bod ganddi goesau fel aderyn. 'Roedd yno le digon hapus, yn ôl Elizabeth, a'r tad a'r mab yr un mor hoff o'i gilydd.

'Yr un mesur o gariad, felly?' holodd Ellis Jones Griffith, â'i dafod yn ei foch.

158

'Oedd y mab yn ymddwyn yn od yn y tŷ?' gofynnodd Mr. Artemus Jones i Catherine Pierce.

'Welais i ddim byd yn od ynddo fo,' atebodd Catherine.

'Ia, wel, maen nhw yn dweud fod cariad yn ddall,' meddai yntau, gan ennyn rhagor o chwerthin ymysg y gwrandawyr.

Cyfeiriodd yr Uwch-arolygydd Prothero at y pytiau nodiadau y daethai o hyd iddynt yma ac acw yn y tŷ. Yn un ohonynt, haerai'r mab i'r hen ddyn fod yn gweld swyddog elusennol er mwyn ceisio cael ganddo ei anfon ef i'r gwallgofdy.

'Wyddech chi fod Mary Jane Williams, un o'r prif dystion, wedi treulio tair blynedd yn Wyrcws y Fali, a'i bod yn dal i gael ei hystyried yn "certified lunatic"?' holodd Artemus Jones.

'Mae'n anodd gen i gredu hynny,' atebodd yr Uwch-arolygydd. 'Mi fyddwn i'n dweud ei bod hi'n ddigon synhwyrol ac 'ro'n i eisoes wedi restio John Elias cyn clywed ei thystiolaeth hi.'

Tystiodd Mary Ellen Hughes, Bryn Awel, Fali, perthynas i Siôn Elias, i Mary Jane honni iddi ddweud celwydd wrth yr Uwch-arolygydd rhag ofn iddi hi gael ei chyhuddo, a bod John wedi bygwth ei ladd ei hun neu ei dad. 'Roedd hi wedi crio a chrio, meddai, wrth feddwl fod yr hen ddyn yn cael ei gyhuddo ar gam.

Pan oedden nhw yn Nhyddyn Bach ar y degfed o Fai, gwrthododd Siôn Elias roi benthyg y gwn i fab Mary Ellen, gan ddweud nad oedd i'w drystio. Ac 'roedd John wedi dweud wrthi, meddai, pan gafodd gefn yr hen ddyn, ei fod wedi rhoi cetrisen yn y gwn gyda'r bwriad o saethu'i dad.

'Oeddach chi ddim yn meddwl ei bod hi'n hen bryd i chi fynd yn ôl i'r Fali?' holodd Ellis Jones Griffith.

Cyfeiriodd yr erlynydd ymhellach at 'y gwn rhyfeddol' a oedd wedi mynd i ffwrdd ohono'i hun mewn gweithdy saer yn Llanfaethlu rai misoedd ynghynt a bu tawelwch llethol yn y llys wrth i'r rheithwyr archwilio'r gwn hwnnw.

Mynnai'r meddyg Prytherch, Llangefni y gallai haeriad Siôn Elias fod yn gwbwl gywir a'i fod yn anghytuno â'r meddygon a alwyd ar ran yr erlyniad. Pan awgrymodd Ellis Jones Griffith fod y posibilrwydd i hynny ddigwydd yn ugain miliwn yn erbyn un, meddai'r meddyg, "Dydw i ddim yn ddyn betio'.

Tueddai dau feddyg arall i gredu mai wedi ei ladd ei hun yr oedd y mab. Wrth iddo annerch y rheithgor, gwnaeth Mr. Artemus Jones yn fawr o'r anghytundeb rhwng y meddygon. Nid oedd unrhyw dystiolaeth, meddai, i brofi i'r tad fygwth y mab, er sawl un dystio i'r mab fygwth y tad fwy nag unwaith. Ac onid oedd Catherine Pierce, un yr oedd ganddi bob rheswm dros deimlo'n rhagfarnllyd tuag at y cyhuddiedig, wedi dweud, yn glir a phendant, na chlywsai erioed air cas rhyngddynt a bod y tad yn ffafriol i'r briodas?

Gobeithiai'n fawr nad oedd y rheithgor yn barod i anfon dyn i'r crocbren ar ddim ond damcaniaeth, a honno'n un sigledig iawn.

Cynghorodd y Barnwr Coleridge y rheithgor i anwybyddu oed y cyhuddiedig. Nid oedd y ffaith ei fod yn hen yn esgus yn y byd ac ni ddylid dangos unrhyw dosturi tuag ato oherwydd hynny. Nid oedd y ffaith fod y tad a'r mab yn cweryla'n fynych yn gymhelliad digonol chwaith.

Ond Mary Jane Williams a gafodd sylw penna'r Barnwr. Pan dderbyniwyd hi i Wyrcws y Fali yn 1908, meddai, 'roedd hi'n gymysglyd iawn ei meddwl a'i siarad, ac yn un hawdd ei harwain. Ac er i reolwr y Wyrcws dystio ei bod wedi gwella pan ryddhawyd hi ar 21 Chwefror, 1911, 'roedd yn amlwg iddi ei gwrth-ddweud ei hun ar sawl achlysur a bod ei thystiolaeth o'r herwydd yn gwbl annibynadwy. Awgrymai ef eu bod, felly, yn diystyru popeth a ddywedodd Mary Jane Williams a'u bod yn rhoi ystyriaeth fanwl i'r ffeithiau a gyflwynwyd gan yr amddiffyniad a'r erlyniad.

Bu'r rheithgor yn pwyso a mesur y ffeithiau hynny am awr. Pan holodd Clerc y llys a oeddynt wedi cytuno ar eu dedfryd, dywedodd y pen-rheithiwr eu bod yn cael y carcharor yn euog ond yn argymell trugaredd oherwydd y driniaeth a gawsai gan ei fab.

Gellid clywed pin yn disgyn yn y llys. Yna, clywyd llais gwraig yn dweud, gydag arddeliad, 'Duw a'i helpo fo'. Pwysai Siôn Elias ar ymyl y doc, yn gwrando'n astud, ond ni ddywedodd air mewn atebiad i'r Clerc.

Wrth iddo gyhoeddi'r ddedfryd o farwolaeth, mynegodd y Barnwr na allai ddweud a fyddai'r Goron yn dangos trugaredd tuag at John Elias oherwydd ei oed, neu oherwydd argymhelliad y rheithgor, ai peidio. Nid oedd ganddo ond ychydig flynyddoedd yn weddill ar y gorau, a thrasiedi mawr oedd ei fod wedi dwyn y fath warth arno'i hun ar derfyn ei oes.

Troi apêl Mr Gordon Roberts ar ran John Elias heibio a wnaeth tri Barnwr yr Uchel Lys ar y trydydd o Orffennaf, ond aeth yr Archddiacon Evans, Person Llanfaethlu ati i lunio deiseb. Er nad oedd yr hen Siôn Lias yn fygythiad i neb bellach, cytunodd y rhan fwyaf o drigolion yr ardal, a thu hwnt, i arwyddo'r ddeiseb honno. Ond gwrthod a wnaeth William Hughes, Tafarn Newydd.

'On'd ydi pawb yn gwybod mai fo ddaru,' meddai. 'Mi fedrwch basio'r Dafarn Newydd'.

Yn wahanol i'r apêl, bu'r ddeiseb i'r Ysgrifennydd Gwladol yn llwyddiant, ac anfonwyd John Elias i garchar Parkhurst, Ynys Wyth yn hytrach nag i'r crocbren.

Fe'i derbyniwyd i ysbyty'r carchar ar y nawfed o Fedi, 1916, yn dioddef o bronceitus a chlefyd y galon. Aeth yr Archddiacon Evans yno i'w weld. Yr un oedd haeriad Siôn Elias â'r ateb a roddodd i Glerc y Frawdlys ym Miwmares —'dieuog' i'r diwedd.

General Register Number.		Christian Name	Surname.	(1) Date and (2) Place of Conviction.	Crime.	
n	82	Walter	Tongue	24. 2. 13 Qr Sess. Birmingham City	In Inflicting grievous bodily harm	
krn	33	John	McCready	16-10 13 Northumberland Qr Sess (Newcastle)	Stealing a bicycle	
Bbq.	559	William Ridley	Carr	29. 6-16. West Kent Qr Sess Maidstone	Oblig ? ab ??? ??? ??? rape	
q.	270	Albert Arthur	Smith	5. 7. 16 Assizes Warwick	Carnally knowing a girl under 13yrs of age	
q	271	Harry	Sayers	5. 7. 16. Assizes Warwick	Indecent assault In ?? ab Longford	
q	276	John	Elias	2. 6-16. Assizes Beaumaris	murder	
q.	227	Joseph	Fowler	23.6.15. Assizes Notts City	making ?? coin uttering counterfeit possessing tools ?	

Mo's Dr Report 30-6-20.

682		65-82	
148			
123		72	
150			
148		4	

q 276 J Elias 81 6-9-16 Poor Bronchitis Morbus cordis Since before ???
u 18 E Rhook 32 4-3-20 Indff. Lymphadenoma — A —
Z 187 J Hash 46 18-12-19 Fair Pleurisy with effusion 3½ ?s
emg 652 C J Roberts 57 25-2-17 Good Syncope Morbus Cordis Rec ord ??? u ?

Dogfennau carchar Parkhurst

161

Reception.			Disposal.				Licence.			Remarks.
Date.		From whence.	Date.			Removal or Discharge. (If discharge, state whether on Licence, &c. and add Destination.)	Date and Number.	Remanet.		
Month.	Year.		Day.	Month.	Year.			Years.	Days.	
8	16	Broadmoor C.L.A	10	1	17	Licenced sent ass Birmingham	30/12/16	-	444	
9	16	Broadmoor C.L.A	11	12	16	Licenced sent ass. Portsmouth.	288,544 / 774,638 / 30/11/16	-	31	R.
9	16	Maidstone	27	9	18	Licenced 31/4/16 Hollingbourne workhouse	186,843 / 77,572 / 31.8.18	✓	270	R.
9	16	Birmingham	2	10	18	Licenced Discd ass Alvechurch Worcs	X.57880 / 78,019 / 3/11/160 / 78.30'4 / 28.9.18	✓	275	
9	16	Birmingham	1	11	18	Licenced Excused Police C/o C.a.a Coventry	3/11/15 / 78605 / 29.10.18	✓	276	
9	16	Carnarvon	13	11	1920	Died in Hosp. midnight		✓		Methodist

Cofnod marwolaeth John Elias yn ysbyty carchar Parkhurst

Daeth John a Leusa Hughes i fyw i Dyddyn Bach, nes bod y lle'n cael ei werthu. Mab 'Jericho', Llanfaethlu oedd John Hughes, ac arferai gario nwyddau o orsaf y Fali i bobol y cylch. Byddai'r ferlen a dynnai'r cert yn mynd heibio i bob merlyn a cheffyl fel pe baen nhw'n sefyll ac yn gofalu fod pob neges a wnâi ei meistr yn 'express delivery'.

Mynnai'r ddau fod y rhai oedd â'u bryd ar brynu yn dod i weld y lle liw nos. A hwythau'n cael golwg o gwmpas, deuai sŵn byddarol o gyfeiriad y tŷ — celfi'n cael eu symud neu lestr yn malu'n deilchion — a dywedai'r Siôn arall, mewn llais yn llawn gwae, 'Mae arna i ofn fod ysbryd yr hen Siôn Lias wrthi heno eto'. Cafodd y pâr doeth aros yn Nhyddyn Bach am weddill eu hoes. 'Roedd y cynllwyn wedi gweithio ar ei ganfed, a chafodd Leusa lonydd i ddefnyddio'i chegin i rywbeth amgenach na chodi bwganod.

Bu carcharor rhif dau saith chwech farw yn ysbyty Parkhurst am hanner nos ar y pedwerydd o Fawrth, 1920, gan fynd, fel pawb arall, â'r gwir i'w ganlyn.

NODIADAU

[1] Gweler stori Cadwaladr Jones—'Gwlad y menyg gwynion'
[2] Gweler stori William Murphy — 'Gwerth ceiniog'
[3] Gweler stori William Murphy
[4] Gweler stori William Griffith — 'O Jericho i Niwbwrch'
[5] Gweler stori William Murphy
[6] Gweler stori Thomas Jones — 'Beautiful Murder' a stori William Murphy

WEST GLAMORGAN COUNTY LIBRARY

1	3 98	18	2 91	35		52	
2		19	8 93	36		53	
3		20		37		54	
4	18/00	21		38		55	
5		22		39		56	
6		23		40		57	
7	9/06	24		41		58	
8		25		42		59	
9		26		43		60	
10	8/09	27		44		61	
11		28		45		62	
12		29		46	12 94	63	
13		30		47		64	
14		31		48		65	
15		32		49		66	
16		33		50		67	3 92
17		34		51	4 94	68	
						69	
						70	

COMMUNITY SERVICES

WGCL 111
LIB/008